爸爸妈妈请回答

为什么我感觉不到地球在旋转？

和其他
有关科学的
重要问题

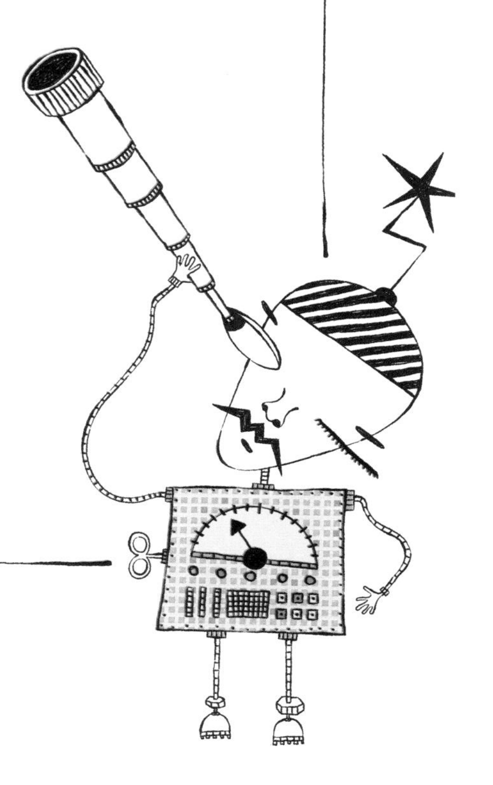

为什么我感觉不到地球在旋转？

和其他有关科学的重要问题

〔爱尔兰〕詹姆斯·多伊尔 著

〔英〕克莱尔·戈布尔 绘

侯晟 译

中国大百科全书出版社

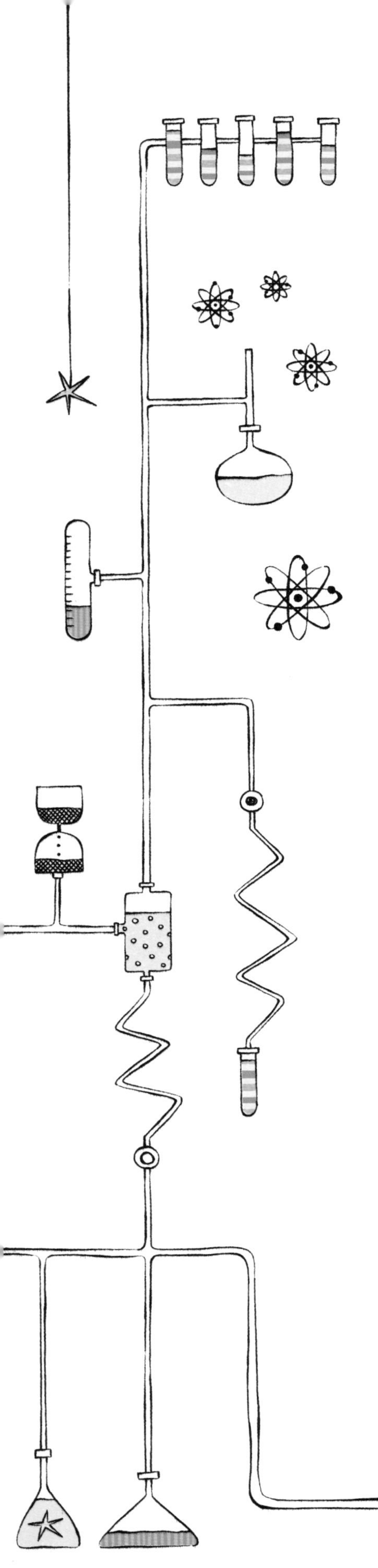

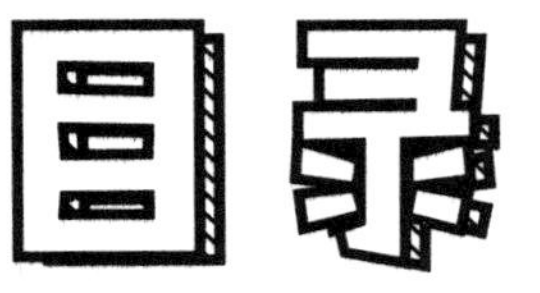

目录

科学是什么？

哦，科学其实也没什么大不了……科学随处可见，一切都是科学，整个人类历史上发生过的所有事情都是科学！你的小脑瓜，是不是像科学家的一样充满了好奇？你是不是像科学家一样爱刨根问底？你能利用科学做一些很酷的事情吗？你对有趣的事实和离奇的神秘事件感兴趣吗？如果答案是肯定的，恭喜你，这就是你要找的书！这本书会解答你想要知道的所有问题，还会揭秘很多很多你不知道的科学问题！小到细菌，大到黑洞，从最微小的生物到地球上生活过的庞然大物，从你的身体里面到宇宙的边缘，这本书和你曾经读过的任何科普书都不一样。记住噢，这是一本专门为你准备的书。那么，只剩最后一个问题，你还在等什么？

我们是怎么了解宇宙的？

仅仅是我们所在的银河系就有上千亿颗恒星。我们没法去到这些恒星上，甚至没办法接近它们，不过不要紧，聪明的人类有办法研究宇宙。1609年，伽利略发明了望远镜，用来观测宇宙。从此，人类发现了比想象中要多得多的邻居：恒星、行星和卫星。

用天文望远镜观望宇宙的女孩

我们该如何研究看不见的东西呢？

你可以借助显微镜来研究非常微小的、不能用眼睛直接看见的东西。

显微镜能放大图像，让你能看到物体上的微小图案，看到叫作“微生物”的一群特别小的生物，甚至还能让你看到“分子”——构成物质的基本单位。这是一张水生甲虫的前足图片，是用显微镜拍摄的。你可以看到，水生甲虫的足部由复杂的小圈圈图案和细密的毛毛（俗称刚毛）组成，还有圆圆的毛垫（俗称刚毛垫）来为脚部提供缓冲。

显微镜下的水生甲虫足

我也能当科学家吗？

当然啦。努力学习又爱思考提问的人，都有可能当科学家呢。许多著名科学家都是从很多意想不到的起点走上科学道路的。著名物理学家史蒂芬·霍金最开始是研究数学的，后来改为研究物理。美国第一位女性宇航员梅·杰米森一开始觉得自己会成为一名时尚设计师！只要你爱思考、爱探究，你就有可能成为一名科学家。

科学课上测量泡沫的男孩

为什么树是绿色的？

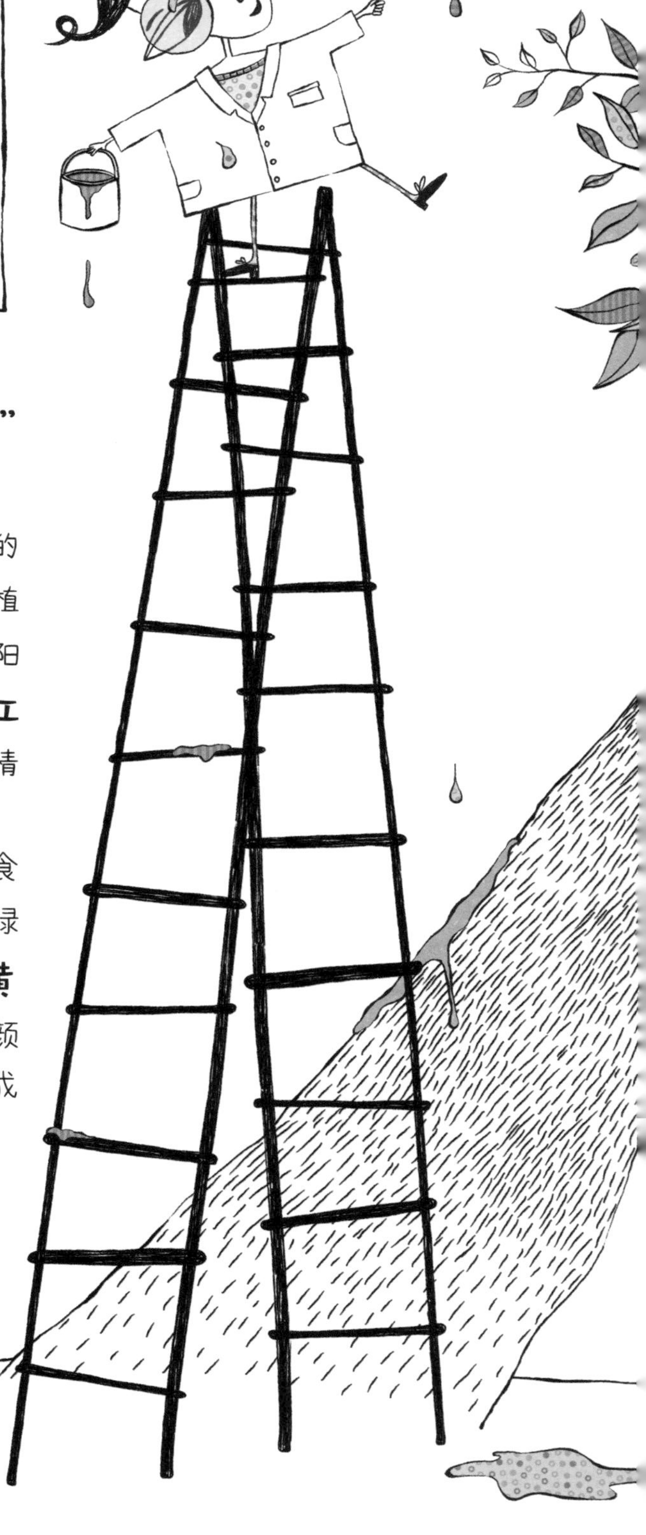

因为树叶里有叶绿素啊！“叶绿素”是一种神奇的物质。

构成树叶的所有细胞里面都有微量的叶绿素，它看起来是绿色的。叶绿素帮助植物把**太阳光**转化为自己的“食物”。当太阳照在树叶上，叶绿素就会吸收阳光里的**红光**和**蓝光**，然后反射出**绿光**。所以通常情况下树看起来总是绿色的。

入秋以后，太阳光线变弱，所以树的食物变少了，树叶中的叶绿素开始分解，叶绿素变少，而树叶中不只有叶绿素，还有**叶黄素**和**胡萝卜素**，叶绿素一旦变少，其他的颜色就显露出来。于是，叶子的颜色从绿色变成黄色，之后变为橙色，最后变成棕色。

椴树的树冠

我们常把森林称为“地球的肺”。动物和人类呼吸的时候都是吸入氧气，呼出二氧化碳。而树木正好相反，它们吸入二氧化碳，呼出氧气，正好和我们互补呢。这也说明一个道理：地球上所有的生物都是相互依存的。

植物吸收二氧化碳，然后将二氧化碳、土壤中的水和阳光结合起来，制造出糖分，之后再把不要的氧气排放回空气里。这整个过程就叫作光合作用。

世界上最高的树究竟有多高呢？

巨大的红木树，又名红杉，轻轻松松就能长到 90 米高。这种高耸入云的红杉主要分布于美国俄勒冈西南到加利福尼亚中部。2006 年，人们宣布发现了世界上最高的树，那是一棵足足有 115.7 米高的大红杉。人们还给它取名为“亥伯龙神”。

红杉一般可以活上 500 年到 700 年，还有一些“高寿”的红杉已经活了 2 000 多年了！

植物学家爬上一棵 107 米高的大红杉采集样本

树木可以在世界上任何地方生长吗？

树木生长在世界各地，生长在几乎所有的气候条件下。但是，高于某一海拔高度或者超过某一界限，树木就不能生长了。

这个界限就是林线或林木线。林线以上，树木无法生长。因为林线以上没有足够的空气、热量或水源使树木存活。从远处看，林线看起来非常突兀，好像有人把山顶给剃秃了。实际上，林线并不是突然出现的，随着海拔越来越高，山上的树木变得越来越少，逐渐消失不见。

《圣维克多山》，保罗·塞尚，1902 年 6 月

怎样才能知道一棵树的年龄呢？

有一门学问叫作树木年代学。数一数树的年轮，可以准确计算树的年龄。一个年轮记录着春夏秋冬四季的一个完整周期，也就是一棵树生命中的一年。

树木年代学对研究环境的历史变化很有用。树木可以帮助我们研究干旱期或洪涝期。年轮还可以向我们透露很多小秘密呢，比如历史上某一特定时段空气中碳的含量，甚至还能告诉我们上一个冰河世纪是什么时候。

一棵 57 岁的道格拉斯冷杉树的横截面

我们是怎么知道恐龙的模样的？

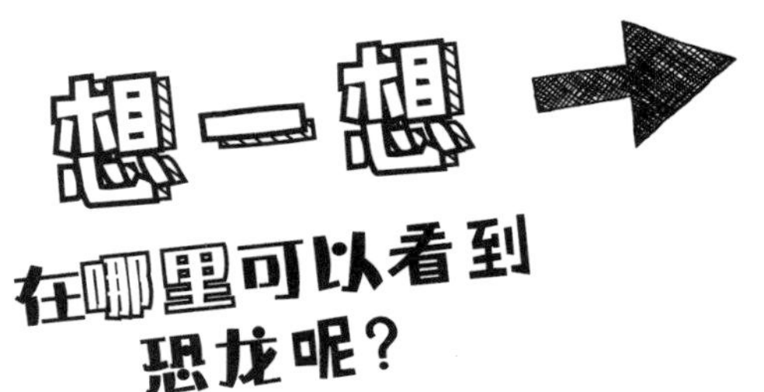

想一想

在哪里可以看到恐龙呢？

你见过活生生的恐龙吗？

没见过？世界上根本没有人见过！恐龙灭绝了**6500万年**之后，地球上才出现最早的人类。要了解恐龙，我们得依靠科学家发现的**恐龙骨骼化石**，有时科学家还能发掘完整的恐龙骨架。通过研究这些恐龙骨骼，科学家们就能穿越时空，还原当初恐龙的模样，重现恐龙行走的姿势。

1842年，英国科学家理查德·欧文首次把一群古老的动物界定为恐龙。他引入了"Dinosauria"（恐龙）这个名字，其意思是"可怕的蜥蜴"。这也难怪，恐龙的确和蜥蜴长得很像呢。那时的科学家们发现了3种恐龙的化石：禽龙、林龙和斑龙。现在，科学家已经命名了**500多种**不同的恐龙。恐龙家族还有成百上千的成员等着我们去发现呢！

一群孩子在伦敦自然历史博物馆的禽龙骨架前进行速写

恐龙的名字是怎么来的？

我们常常会以发现恐龙的地点、发现恐龙的人或恐龙特别的身体特征来给恐龙起名字。恐龙的名字通常由两个希腊词语或拉丁词语构成，有时候两者兼有。但是，也有例外。“霍格沃茨龙王龙”就是以《哈利·波特》中的霍格沃茨魔法学校命名的。它是2004年在美国艾奥瓦州被发现的，是厚头龙家族的一员。它的全名很霸气，叫作“霍格沃茨的恐龙之王”。

霍格沃茨龙王龙复原图

霍比特人真的存在吗？

存在，但是不是我们所知道的那样。2003年，人们在印度尼西亚的弗洛勒斯岛发现了仅有1米高的原始人遗骨，考古学家认为这些“小矮人”生活在距今大约6-10万年前，他们也因发现地而被命名为“弗洛勒斯人”。因为他们身躯矮小，人们根据J.R.R.托尔金的小说《霍比特人》给他们起了个绰号叫“弗洛勒斯霍比特人”。在此之前，科学家一直认为智人（没错，就是我们！）是地球上唯一的人类。我们的古代表亲尼安德特人也是一种人科动物，不过他们在3万年前就灭绝了。

电影《霍比特人：意外之旅》剧照：比尔博·巴金斯，2012年

恐龙为什么会灭绝？

白垩纪——第三纪灭绝事件，又称 K-T 事件，这两个名字听起来很奇怪，其实它们就是指导致恐龙灭绝的事件。之前科学家们认为，恐龙的灭绝是气温变化造成的，地球温度变化使得大量动植物死亡，恐龙也因此缺少食物，走向了灭亡。然而，20 世纪 80 年代，科学家路易斯和沃尔特·阿尔瓦雷茨在地壳层中发现了一种物质，叫作“铱”，出现时间正好与恐龙灭绝时间相吻合。通常只有在太空中才会有铱元素，而地壳中铱的痕迹表明曾有彗星或小行星撞向地球，导致了地球上的恐龙的灭绝。

小行星撞向地球假想图

植物吃什么？

植物自己动手，丰衣足食。

它们吸收空气里的**二氧化碳**，通过**光合作用**（见第9页）把二氧化碳转化为食物。为了让自己健康强壮，植物也通过根部吸收其他营养物质和矿物质。

所有的生物都需要一种叫**氮**的物质。我们通过呼吸空气摄入氮，但是植物从土壤中摄取氮元素。

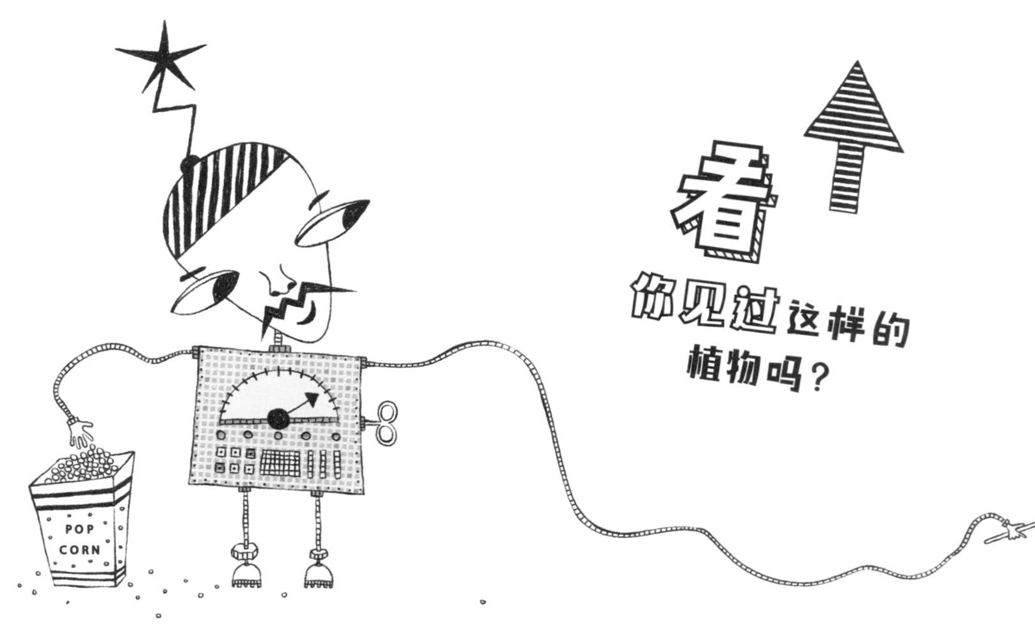

电影《异形奇花》剧照：主人公异形花（吃人的植物），1986 年

不管植物是腐烂自然分解了，还是被动物吃掉又排泄出来，都不算**浪费**。一株植物一生中吸收的矿物质和氮，最后都会回到土壤中，随时可以被其他植物的根部吸收。这就是科学家说的**氮循环**的基础。

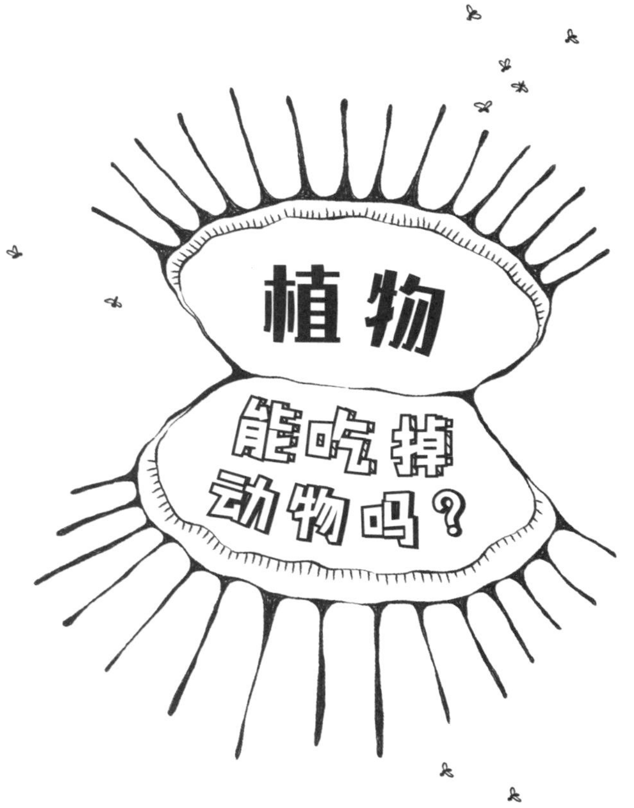

是的，植物可以吃掉动物！世界上有很多食肉或肉食性植物，比如，金星捕蝇草和猪笼草。它们生长在土壤贫瘠的地方，跟一般植物不一样，它们不从土壤里吸收养分，而是通过捕食昆虫获得营养。

找到食物并且饱餐一顿可不容易，所以有时候植物会和动物友好互助。图中的青蛙就是猪笼草的盟友，猪笼草保护青蛙不受捕食者的侵害。作为回报，猪笼草可以吃到营养丰富的青蛙粪便，这真是一桩卖家买家都开心的好买卖！

躲在猪笼草里的青蛙

为什么花儿有气味？

几千年来，人们喜欢美丽的花朵和它们迷人的芬芳。但直到近些年，科学家才弄清楚了花儿为什么会有气味。1953 年，化学家们认为玫瑰的香气由20种化学物质组成。2006 年，科学家们发现，远远不止 20 多种，而是将近 400 种！

当然，并不是每一朵花都像玫瑰花那样惹人喜爱。很多花的味道，并不沁人心脾，你绝对不希望自己喷的香水是那个味道。比如，尸香魔芋，又名“尸花”，它散发着一股就像腐肉一样让人恶心想吐的味道。

夹着鼻夹的男孩。不是所有的花闻起来都是香香的！

为什么蜜蜂爱花朵？

蜜蜂嗡嗡飞向花丛中，蜜蜂和花朵都开心。花朵鲜艳的色彩和芬芳的香味把蜜蜂吸引过来，蜜蜂可以美美地饱餐一顿，还可以把花里含糖的花蜜和香甜的粉状花粉采集起来带回家去。

蜜蜂采蜜的时候，花粉会附着在身上。当蜜蜂在花丛中飞来飞去的时候，身上的花粉就会掉落到别的花朵上。这样，花朵得到授粉，又能结出新的种子。

沾了一身花粉、忙着采蜜的蜜蜂

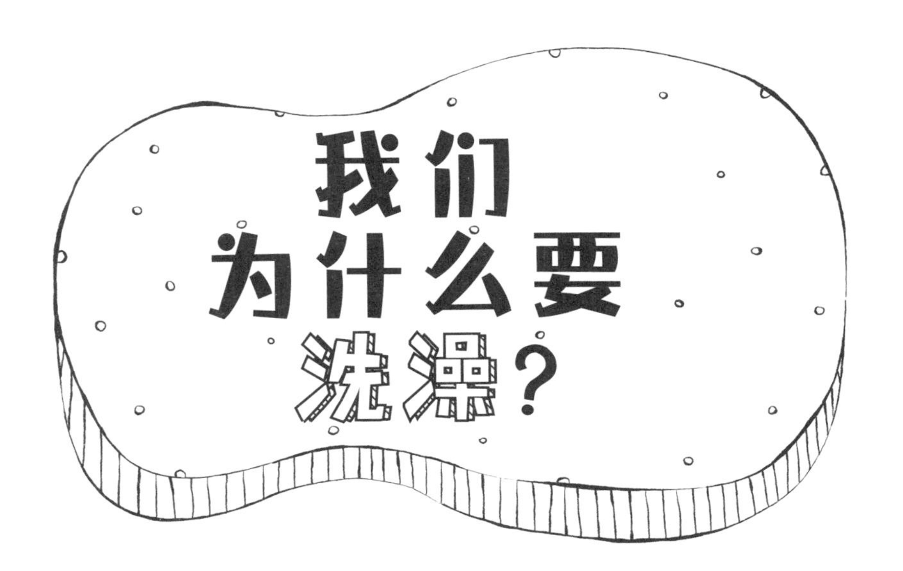

我们为什么要洗澡？

你有没有想过这个问题：如果你从来也不洗澡，会怎么样？

那你闻起来会特别臭，甚至能臭到让自己**送命**！想一想，你的身体表面大约覆盖着两平方米的皮肤，包含大约260万个汗腺，皮肤上覆盖着数不清的细小毛发。每天你全身的腺体在不断地出汗。虽然汗水本身没有气味，但出汗的皮肤会产生大量**细菌**，发出一股难闻的气味。如果你不洗澡，久而久之，你的皮肤和头发都会**黏糊糊**的，上面全是汗液和脏东西。

一个度假营里，男孩们在认真地洗澡

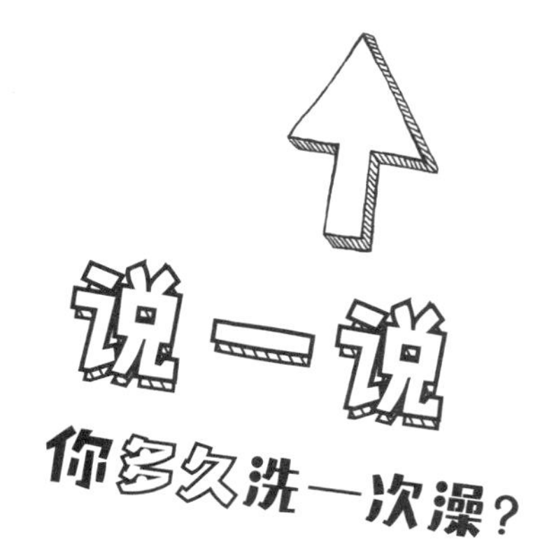

还有，你的皮肤上生活着细菌。一般情况下，只要这些细菌乖乖停留在皮肤表面，它们就不会影响到你的健康。但是，如果它们入侵了你的**血液**，那就大事不妙了。如果你很长时间不洗澡，就会浑身痒痒，忍不住的时候就会疯狂抓挠。有些顽固的细菌会一直藏在你身上，比如葡萄球菌。如果你把皮肤挠破了，葡萄球菌就会趁机直接进入血液。它们甚至有可能要了你的小命！

放大的人眼睫毛上的螨虫

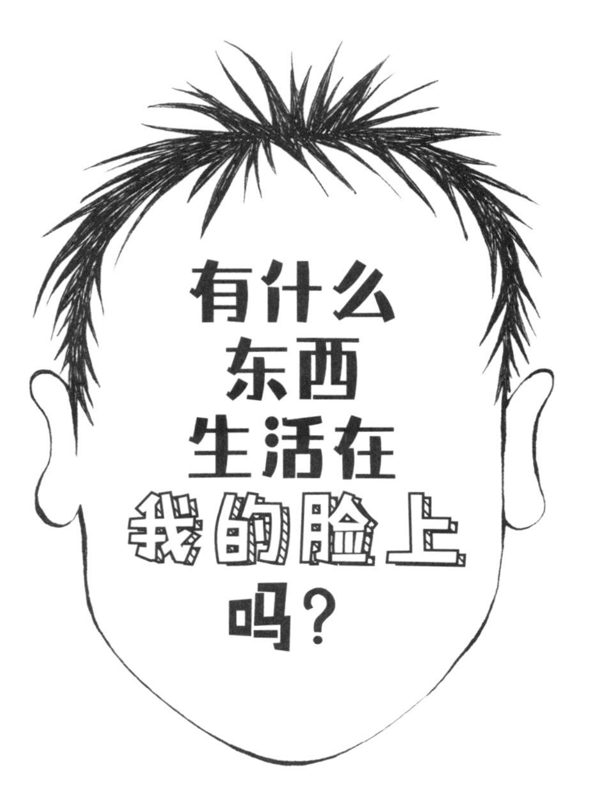

有什么东西生活在我的脸上吗？

有虫子生活在我的脸上，真恶心！但是，此时此刻，很有可能就有生物正在你的脸上活蹦乱跳。尤其是毛囊蠕形螨和皮脂蠕形螨，只怕早就在你的脸上安稳地生活很久了。我们的脸，油腻又温暖，对这些微生物和螨虫来说，这可是再舒服不过的好住处呢。它们跟昆虫和螃蟹都是远房亲戚。

很早以前，科学家就发现了人体会携带螨虫。1842 年，有人在人类耳屎中发现了毛囊蠕形螨。2014 年，研究发现大约 14% 的人脸上都有肉眼看不见的螨虫。在研究实验中，每一张经检测的脸都有螨虫生活过的痕迹。

为什么我的皮肤会脱落？

皮肤脱落，也就是蜕皮，是件很自然的事情，不必大惊小怪。大多数动物都蜕皮。比如蛇就会定期蜕皮。新皮长出来了，旧皮就会脱落。跟蛇一样，你的身体也在不断地运转、修复和更新，这就是新陈代谢。所以你的皮肤也是要脱落的，只不过不像蛇那样蜕去整个表皮而已。

人类平均每小时要脱落大概 60 万个皮肤细胞。可能这听上去没什么大不了的，但如果我们做个简单的数学题，就可以算出来：一个 70 岁的人一生中会掉落大概 50 千克的皮肤。为了让你更直观地感受这个量，我们也可以说，一个人一生脱落的皮肤大概有 250 盒牛奶那么重！

开始蜕皮的白条锦蛇

饮食可以改变我的身体和皮肤吗？

吃什么食物当然会影响你的身体。食物中的维生素和矿物质会对人产生很大的影响。比如说，有一样东西，如果误食的话会要了你的命，它就是北极熊的肝脏。早期的北极探险家并不知道熊肝脏富含维生素 A，稀里糊涂地吃了。摄入过多的维生素 A 对人体是有害的，就像中毒一样。有的探险者出现了全身皮肤损伤和昏迷，有些更倒霉的探险者吃完之后就死去了。

雕刻作品：在北极考察的荷兰水手，1596—1597 年

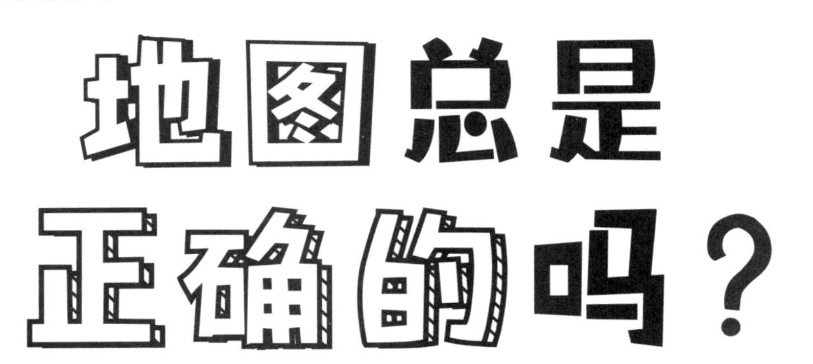

地图总是正确的吗？

不。有些地图错误百出！你是不是经常听到这样的故事：有些人按照藏宝图找了一辈子，但什么也没找到？

一个不准确的地图也不是完全没有价值。比如，历史上有一张并不精确却非常重要的地图。这张地图的制作采纳了希腊科学家**托勒密**（约公元100年—公元170年）的发现。

这张世界地图使用了**相同间隔**的经线（地图上的竖线）和纬线（地图上的横线），还采用了俯瞰的视角绘制地图。这样一来，全世界的人都能看懂。此外，它还帮助其他制图者计算出了地球的大小。

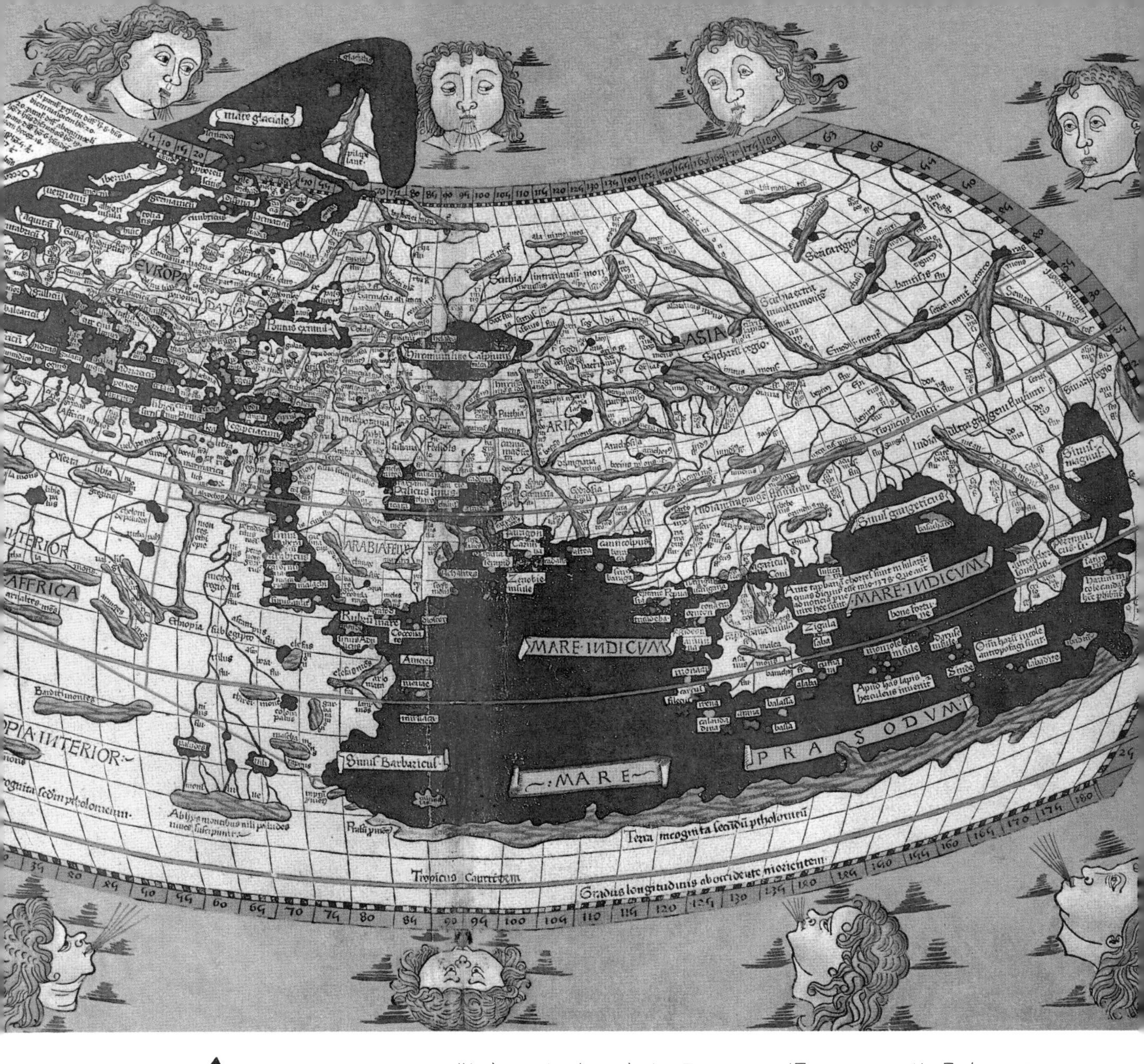

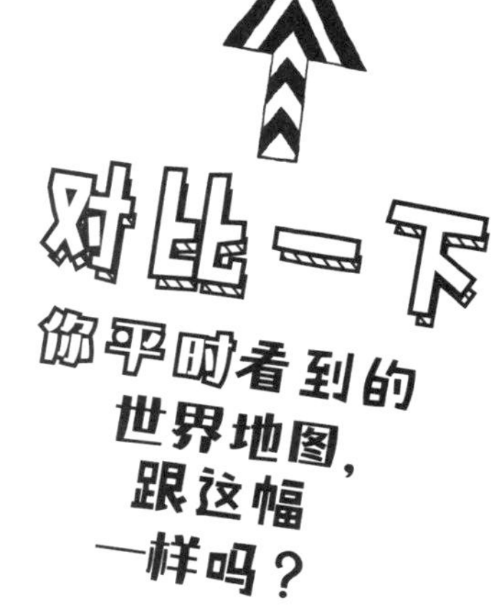

托勒密的方法其实很早就已经提出了，但并没有人认可他的观点，直到1407年人们才开始用他提倡的方法绘制地图。以今天的眼光打量，可能觉得这幅地图并不精确，甚至可以说问题多多——“北美大陆”那时还没有被发现，非洲和南极紧紧相连，赤道环线寸草不生，等等。但在那个时候，这是件了不起的事情。要知道，在托勒密的方法没有被人们认可之前，地图绘制者画图的时候并不尊重各国面积的实际大小，而是根据各国的**重要性**来画图。一个国家越重要，在地图上就会显得越大。

一幅15世纪的地图，根据托勒密的方法绘制而成

光会拐弯。光是以光波形式传播的，当它穿过不均匀介质或遇到不同介质的界面时就会改变方向。事实上，光的传播路线总是会改变的，因为绝对真空条件是不存在的。不过在现实生活中，改变的幅度不会那么大，针孔相机的问世也证明了光按照直线传播的情况会比较多。在胶片相机出现之前，人们一直使用针孔相机这个简单的设备来投射影像。简单来说，针孔相机就是一个盒子，盒子的一面有一个小洞，盒子外的光线穿过这个小洞，落在盒子另外一面的内壁上，这个内壁就相当于一面屏幕，盒子外面的场景也就被投射到了屏幕上。看看下面这个模型吧，穿过小孔投射在白色平面上的树影为什么是倒的？光穿过小孔之后是沿直线传播还是弯折了？

铜版雕刻：针孔相机，1671 年

我们为什么能“看见”？

你的眼睛就像一架望远镜。眼睛里有一种几乎透明的“镜片”，我们把它叫作晶状体，晶状体可以将物体反射的光线聚焦到眼底成像。

望远镜当然比我们的肉眼能更好地对焦，可以帮助提高图像的清晰度，也可以让我们看到更远处的物体。哈勃太空望远镜架设在太空中，可以观测到距离地球134亿光年的星系！

17世纪的一幅雕刻作品：一位天文学家正在观测星空

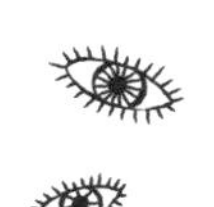

为什么我看不到自己的眼睛？

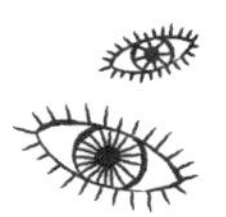

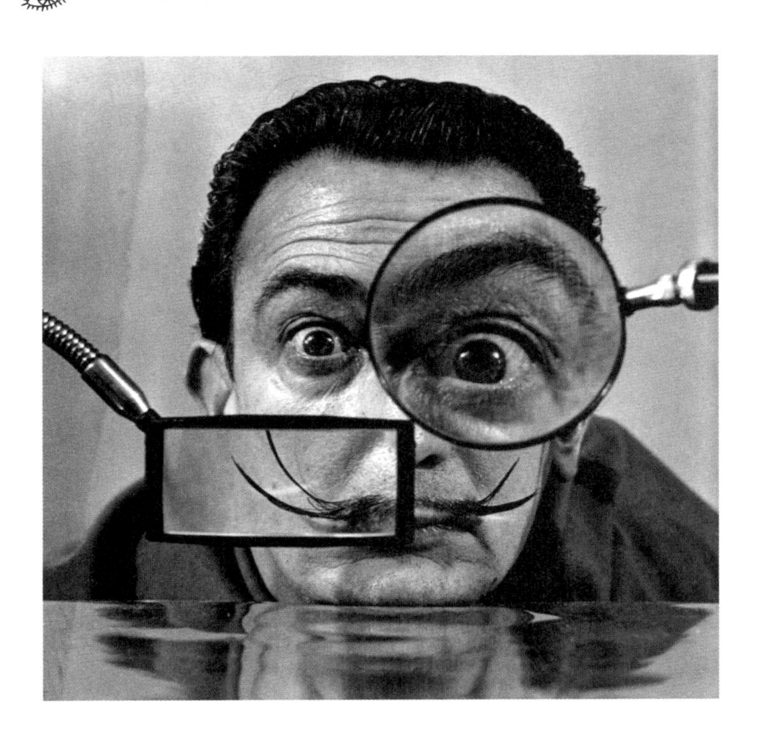

因为你的眼睛正在忙着工作，帮你记录下周围世界的图像呢。眼睛看东西的时候，和相机的工作原理非常相似。

你注意到了吗？有的人眼睛是蓝色，有的是深棕色。我们的眼睛里有颜色的部分就是虹膜，虹膜中间的小黑孔就是瞳孔。虹膜就好比相机中的光圈叶片，它通过瞳孔调节入眼光线的多少，使我们适应周围环境的亮度。

《震惊的彼得》，海因里希·霍夫曼，1847年

为什么我的头发会长长长？

你的头发和指甲会长长长，都是归功于一种叫作角蛋白的蛋白质。

角蛋白一开始就是你皮肤里面的**细胞**，在皮肤里不断生长、死亡，而后变硬。如果角蛋白在你头上，就会变成**头发**；如果角蛋白在你的手指或脚趾上，就会变成**指甲**或**趾甲**。

如果一个人身体健康，他的身体里面会产生大量的角蛋白。他也会拥有坚固又光滑的指甲。如果一个人身体病恹恹的，他的指甲可能就会变得干燥、脆弱，还会呈现片状。

看→

你有没有留过这么长的指甲？

想要健康的头发和指甲，那就要多吃肉类、乳制品和豆类。人体会把这些食物分解成氨基酸。氨基酸构成了不同的蛋白质，其中就包括角蛋白。当你晒太阳的时候，你的指甲和头发能从阳光中获得**维生素 D**，因此它们会加速生长。这就是为什么我们的指甲和头发在夏天比在冬天长得快。

头发大概每年可以生长 12 厘米，速度是指甲生长的 4 倍。指甲通常每年大约长 3 厘米。

《邋遢鬼彼得》，海因里希·霍夫曼，1847 年

快看他！他就站在这里，
蓬头垢面，两只手也脏兮兮的。
看！他的指甲从来没有剪过，
黑得像煤灰。这个邋遢鬼，从
来没有梳过头发。这天底下，
对我而言，跟邋遢鬼彼得一比，
谁都是小天使。

你能抓着我的头发爬上来吗？

我们的头发当然没有钢材那么坚硬结实，不过也不要小看它。实际上，头发的强度跟铝、钢化玻璃纤维或凯夫拉尔纤维材料不相上下。防弹背心都是用凯夫拉尔材料做的。

一根头发可承受100克的重量。理论上，一头秀发可以承受两头大象的重量！

《长发姑娘》，玛格丽特・埃文斯普・莱斯，1910年

你的舌头上藏着什么？

我们的舌头上布满了味蕾，每个人舌头上的味蕾分布都是独一无二的，就像手上的指纹一样。DNA（脱氧核糖核酸）是我们身上每个细胞内的遗传物质，虽然每个人的DNA也是独一无二的，不过指纹的差异是我们肉眼看得见的，所以警察们会利用指纹来协助破案。

物理学家阿尔伯特·爱因斯坦在吐舌头

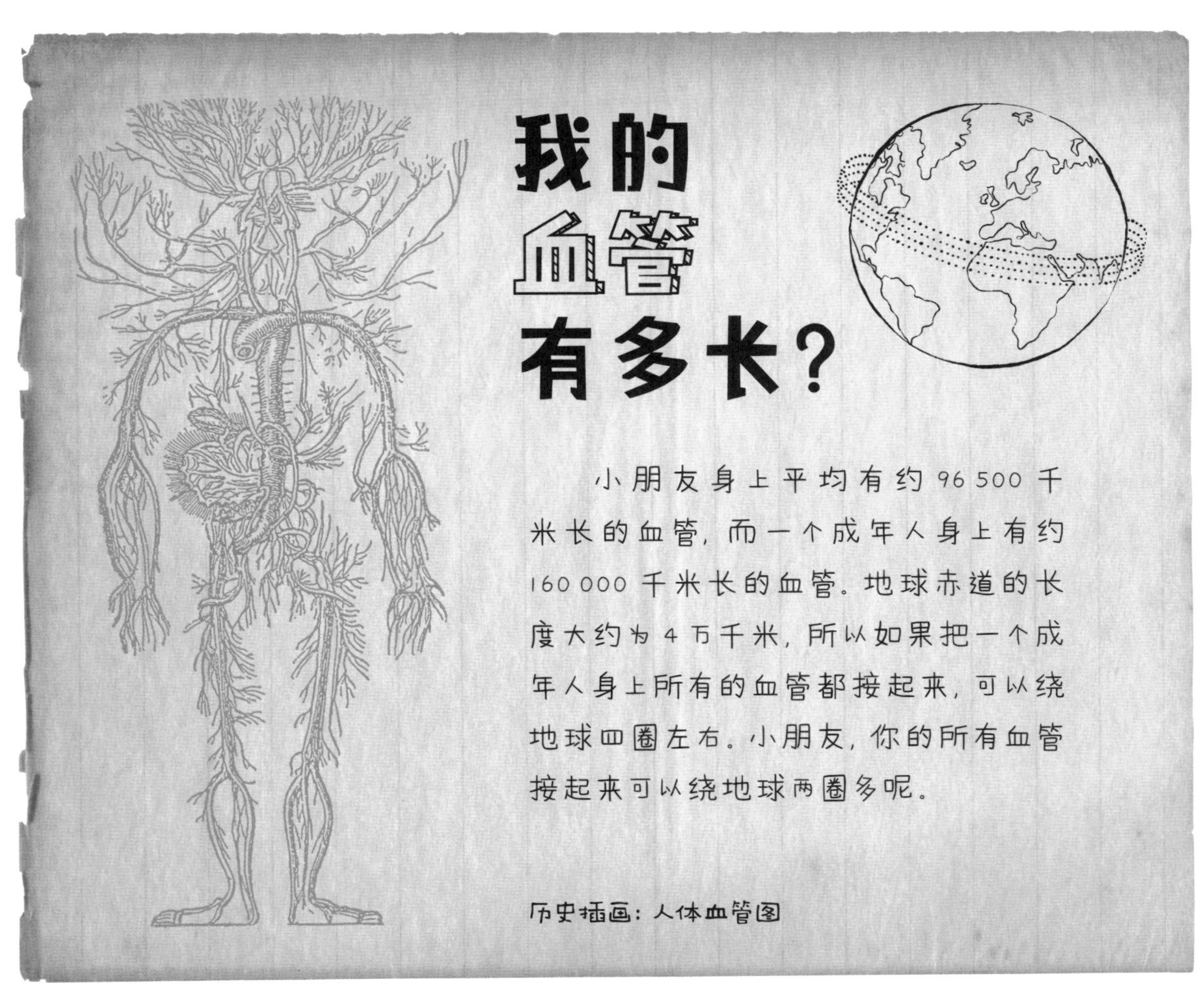

我的血管有多长？

小朋友身上平均有约96 500千米长的血管，而一个成年人身上有约160 000千米长的血管。地球赤道的长度大约为4万千米，所以如果把一个成年人身上所有的血管都接起来，可以绕地球四圈左右。小朋友，你的所有血管接起来可以绕地球两圈多呢。

历史插画：人体血管图

为什么药那么苦？

大部分药物的化学成分都是从植物中提取的，而大部分植物都是苦的，所以药自然也是苦的。

另外，这还和我们舌头上分布的**味蕾**有关。味蕾是味觉感受器，由几种独特的细胞构成，在我们的舌头上，感受甜味的味蕾只有几种，而感受苦味的味蕾则多达 27 种。这是人类的进化造成的，是一个重要的**生存机制**。

在史前时代，人类需要吃野生植物生存，对苦味敏感有助于避免食用某些剧毒的植物。苦味等于给身体发出的**警报**，每当人们一不小心吃到苦涩植物的时候，都会赶紧吐出来，这样可以避免中毒而死。

老师给孩子们一勺一勺地喂药，1931 年

想一想

你吃的药苦不苦？

小孩子天生都是喜欢甜味的。但当我们进入青春期后，口味的喜好就会发生变化。为什么呢？科学家们现在也没有找出确切的原因。有一个理论认为，当我们的身体不再长得那么快，需要的**热量**（卡路里）也会相应减少，所以对糖的渴望也减弱了。

植物会很危险吗？

是的，很多植物对人类来说很危险，因为它们有毒。比如说颠茄，哪怕只是误食一点点，都可以让你发烧发到天昏地暗，神志不清，出现幻觉。颠茄是非常有效的毒药，所以古罗马人用颠茄制作毒箭，向敌人发射。

舟形乌头，又叫狼青草，也是一种危险的植物。古代的战士用它向敌人的水源投毒，经常会让敌人丧命。

《剧毒的颠茄和舟形乌头》，约翰斯通，1855 年

药是怎么发明的？

有些药物是人们偶然发现的。比如，科学家亚历山大·弗莱明（后称亚历山大爵士）最初根本没想制造青霉素。

1928 年 9 月，弗莱明度假归来，发现他的培养皿里长了一种叫作点青霉的奇怪霉菌。他的培养皿里装的是危险的金黄色葡萄球菌样本，而这种奇怪的霉菌抑制了样本的正常生长。于是，弗莱明利用这个发现制造了青霉素。

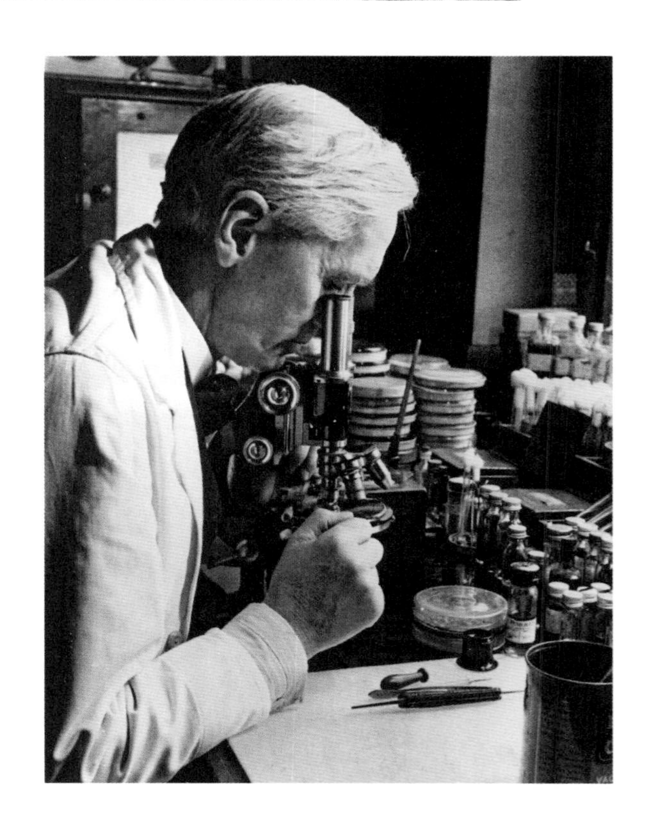

实验室里的亚历山大·弗莱明爵士

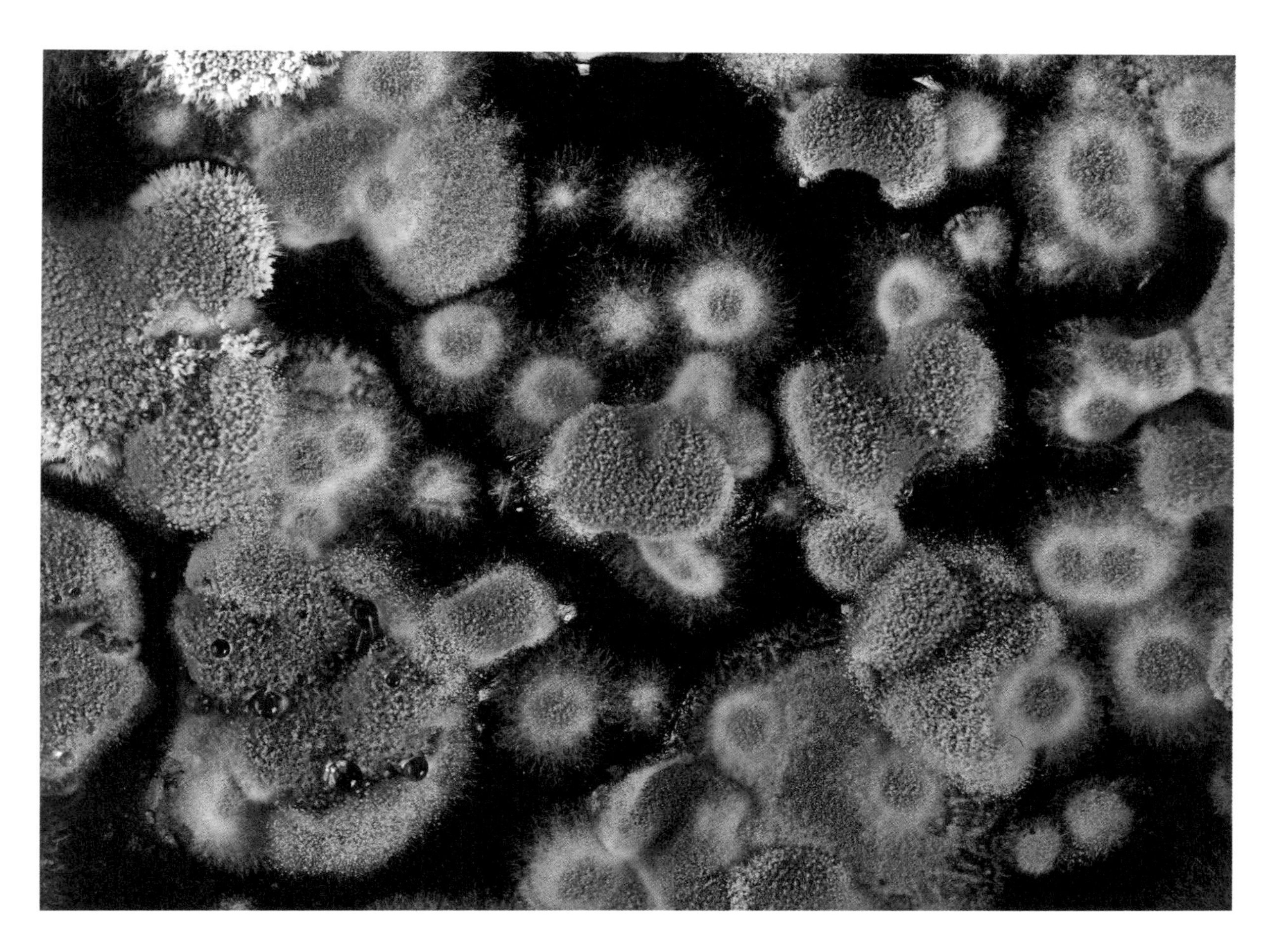

为什么我不能吃长霉的食物？

有一些霉菌，你是可以吃的。你知道大名鼎鼎的蓝纹干酪吗？这种干酪上的蓝色和灰色斑点就是霉菌。你可以大胆放心地吃。但是，大部分霉菌都是对你的身体有害的，千万不要随便吃。

在19世纪40年代，爱尔兰爆发了大饥荒，造成大概100万人死亡。罪魁祸首就是致病疫霉，也叫马铃薯晚疫病。这种霉菌有点像真菌，会让叶子枯萎、蔬菜腐烂。如果人吃了被这种霉菌感染的食物，会觉得很难受，甚至丧命。因为霉菌肆虐，很多人除了被霉菌感染的食物外，再没什么可吃的了，因此都被饿死了。

红酒里的霉菌

外科医生怎么知道要在哪里下刀？

古希腊的医生常常剖开被处决的罪犯，研究他们身体的内部构造。

2 300 多年前，出现了历史上第一个**解剖学院**，学生们可以对**尸体**进行研究。更早以前，距今 3 500 多年前的**古埃及人**就有了关于人体的记录。古埃及人是历史上最早识别出心脏、肝脏、肾脏和其他身体部位的人。

到了公元 11 世纪，学西医的学生都必须学习人体解剖学和外科手术。这些学生们要在现场认认真真地观看真正的尸体被解剖的全过程。

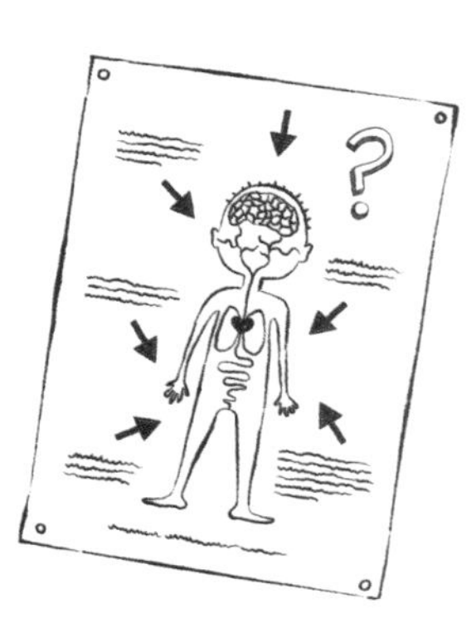

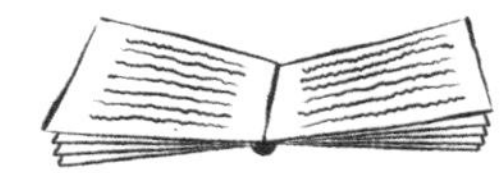

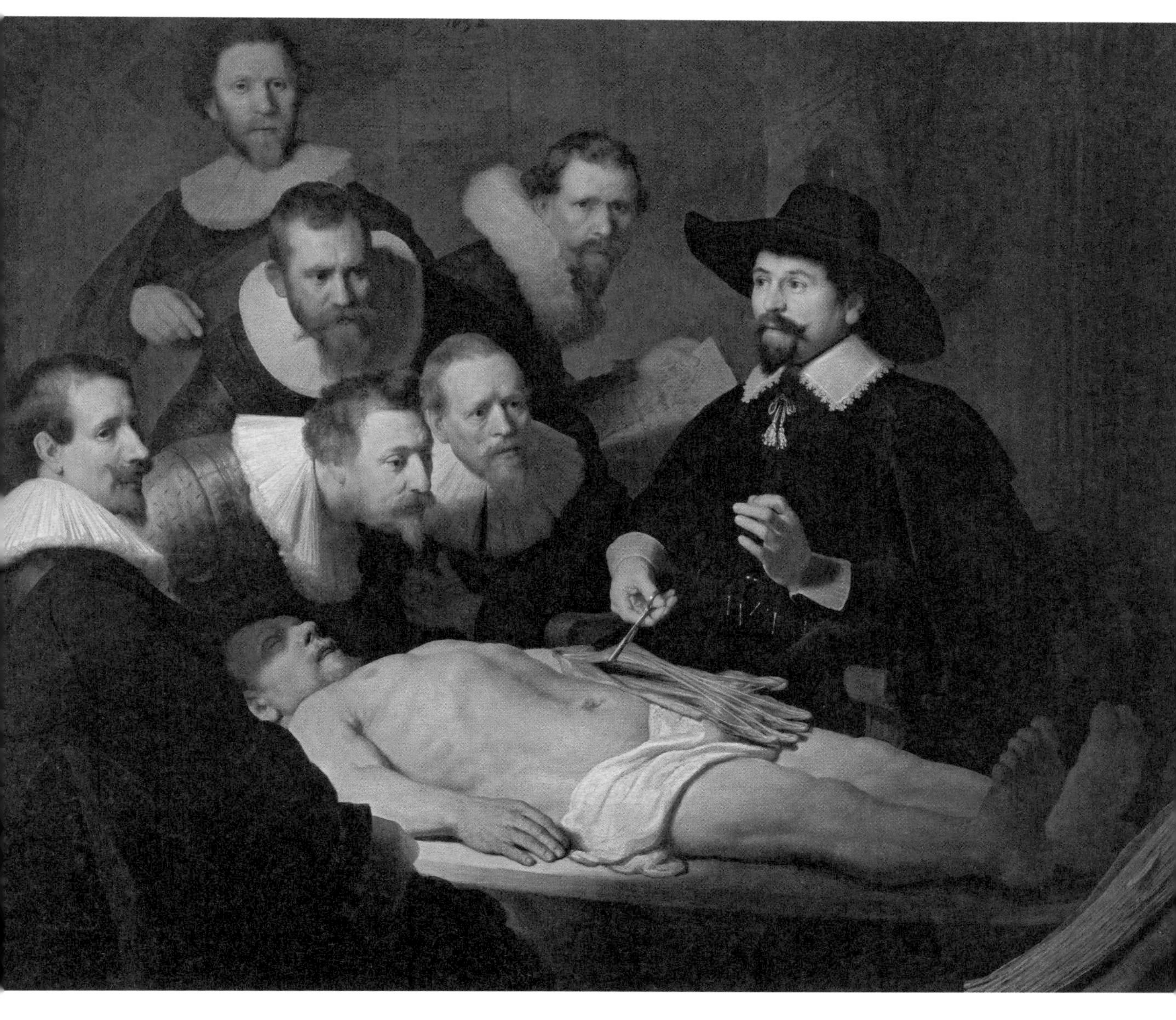

《尼古拉斯·托普大夫的解剖课》，伦勃朗，1632 年

现在，医学院学生仍然在真正的**尸体**上练习解剖，但同时也会使用**塑料模型**练练手。在科学发展的基础上，医学更加发达了。现在有了功能强大的扫描仪、显微镜，甚至还有可以做手术的机器人。数千年的研究基础加上现代医疗技术，确保了我们的外科医生精确地知道该在哪里下刀！

为什么药那么苦？
请翻到第 32 页

外科医生拿什么练手？

17世纪和18世纪的时候，外科医生和医学院学生用尸体练习解剖。是的，就是死人的身体！于是，一门相当恶心的行当就产生了——盗尸。从事这门行当的人，偷偷潜入墓地，挖出尸体，再倒卖给解剖学校赚取钱财。这门生意在当时一度盛行，当然，绝对不合法。

而现在，医学院获取用于解剖的尸体的途径一般有三种：死者自愿捐赠、无人认领的尸体和经过同意的死刑犯的尸体。

电影《偷尸者》剧照，1945年

科学家可以是艺术家吗？

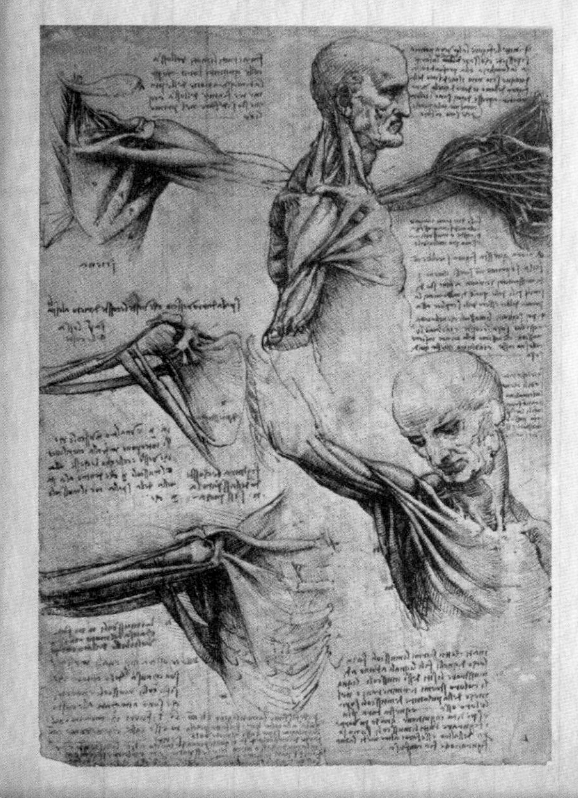

可以，科学家是可以跨界的！莱奥纳多·达·芬奇是现代医学插图之父，也是历史上最负盛名的画家之一。著名的《蒙娜丽莎》和《最后的晚餐》都是他的艺术作品。达·芬奇的研究涉猎很广，在艺术、音乐、工程、科学和数学等领域都有所成就。他画的人体解剖图让文艺复兴时代的医学知识得到了很大的发展，学习解剖学和药物学的学生也因此受益。

《肩膀的肌肉》，莱奥纳多·达·芬奇，1510—1511年

我们怎么知道自己身体里面什么样？

从古到今，人们都在研究人体，想要了解人体内部的构造和原理。

早在19世纪，就发明了仿造男性和女性身体结构的"医学仿真人"。从19世纪的"医学仿真人"到现在的X射线、扫描仪和3D成像，这些发明创造都帮助我们进一步了解人体的构造。

可揭开外罩的医学仿真人，1601—1700年

为什么面包里充满气孔？

那是因为一种叫作“酵母”的东西和一个叫作“发酵”的过程。

酵母以**糖**为食。当酵母把面粉里的糖分**吃**掉之后，就会“发酵”，把糖分解成二氧化碳气体、酒精、香味和能量。发酵过程中，二氧化碳产生气泡，面包就会膨胀。**酒精**也发挥着重要的作用。室温下，酒精是液态的。可是受热后，酒精会蒸发成**气体**。高温烘烤面包的时候，酒精就变成气体了。酒精蒸发时产生的热量也会让面包膨胀。

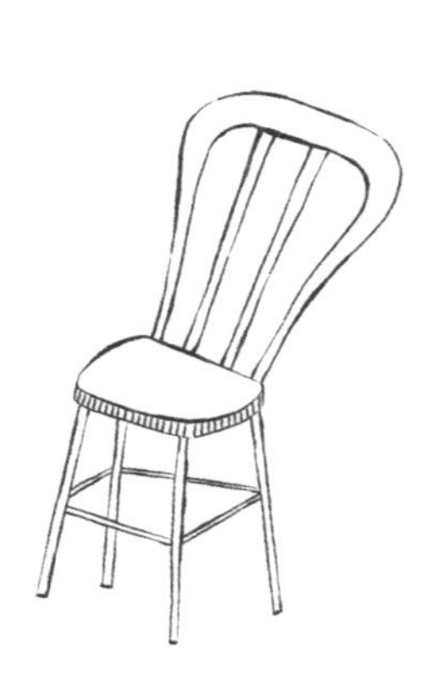

忙碌的法式面包店摆满了各种烤好的面包、加工中的面团和烘焙中的面包，1875 年

说一说

当热腾腾的面包新鲜出炉时，你能想象这个面包店里弥漫着什么味道吗？

做面包的时候，**面筋**也很重要。面筋让面团更筋道，富有弹性。它能留住面团在发酵过程中产生的气泡。它的弹性使面包在膨胀的时候仍然能保持形状。如果没有面筋，面团中的气泡就会跑掉，面包也会变得扁平紧实，而不是柔软蓬松。

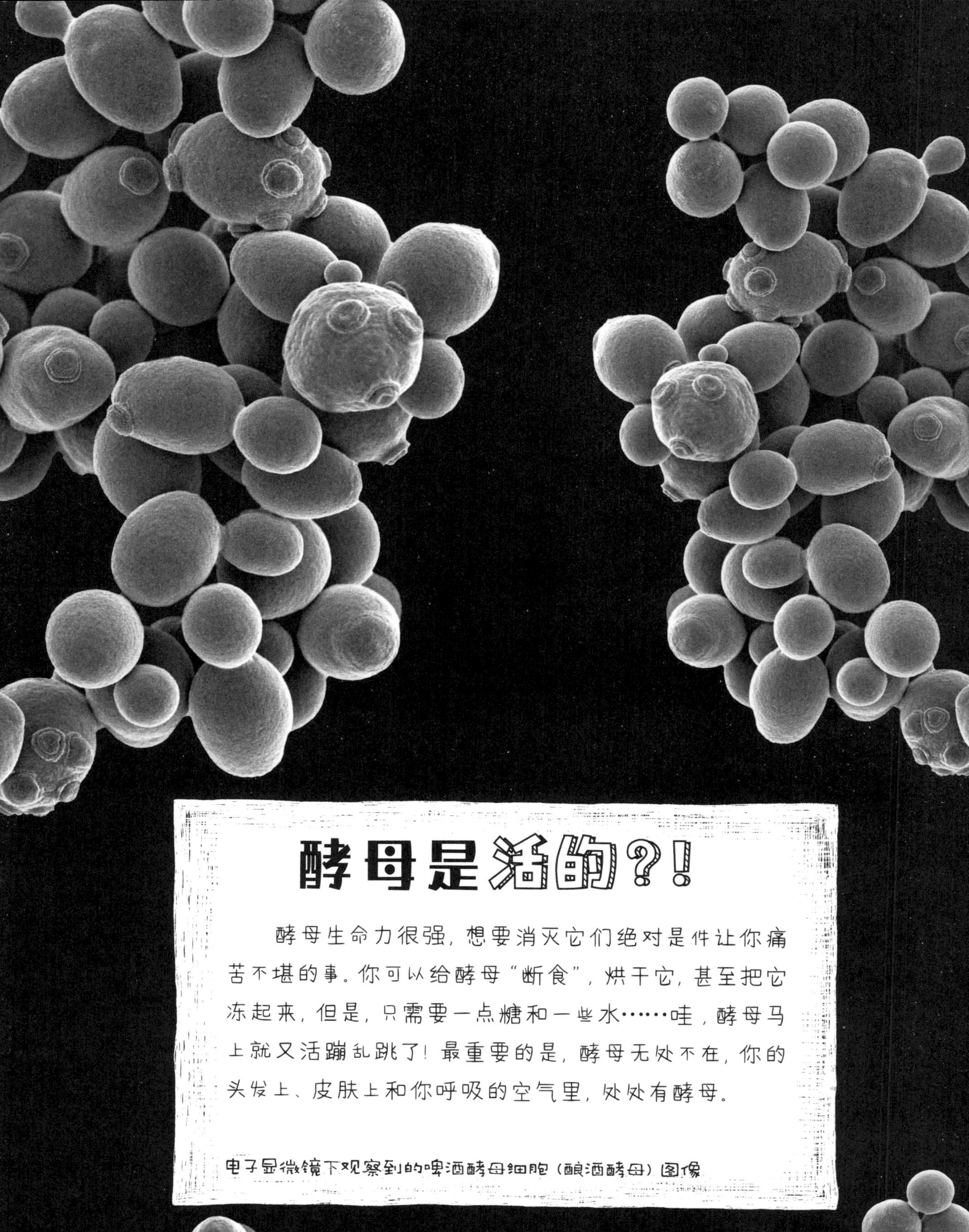

酵母是活的？！

酵母生命力很强，想要消灭它们绝对是件让你痛苦不堪的事。你可以给酵母“断食”，烘干它，甚至把它冻起来，但是，只需要一点糖和一些水……哇，酵母马上就又活蹦乱跳了！最重要的是，酵母无处不在，你的头发上、皮肤上和你呼吸的空气里，处处有酵母。

电子显微镜下观察到的啤酒酵母细胞（酿酒酵母）图像

是谁发明了面包？

古埃及时代之前，人们吃的面包都是没有发酵的，也就是一个扁平的面包，就像现在我们吃的馕或者大饼一样。大约 4 000 年前，古埃及人发现了一种酵母，他们把这种酵母取名为“谷仓”。把酵母加入面团之后，面包就开始膨胀。古埃及人无法理解酵母的工作原理。他们认为是有某种神奇的力量在发挥作用。

古埃及坟墓出土的模型，展示了古埃及的仆人磨玉米和烘烤面包的情形

是谁发现了酵母菌？

大多数的食物和饮料都含有细菌。只要细菌数量不超标，对我们没有害处。不过，细菌生长迅速，短短几天，就可以让我们的食物和饮料变质。

1857 年，法国科学家路易斯·巴斯德发现把葡萄酒加热到 55℃就可以杀死那些通常使酒变酸的细菌。巴斯德发现的这个杀菌过程，也就是现在我们常常用到的“巴氏杀菌法”，也用于给其他食物和饮料杀菌。所以，现在的情形是，存放了好几星期的牛奶、啤酒和果汁，我们仍然可以喝。

《路易斯 · 巴斯德》，阿尔伯特 · 古斯塔夫 · 阿里斯蒂德斯 · 埃德尔费尔特，1885 年

为什么星星一闪一闪的？

我们都会唱那首歌“一闪一闪亮晶晶，满天都是小星星”。星星看上去好像在一闪一闪地眨眼睛，是因为我们是透过地球上流动的、厚厚的大气层观测星星的。

星星离我们非常遥远，看上去就像天空中的一个个小点点。当来自星星的光线抵达地球大气层的时候，光线会**弯曲**，或者经历很多次不同方向的折射。光线被折射之后，星星看上去仿佛在微微移动，或者在向我们眨眼睛。我们的眼睛和大脑对此的解读就是星星是一闪一闪的。这种现象的科学名称叫作“天文闪烁”。

数一数

这张图片里有多少颗星星，你能数得清吗？

从外太空观测星星，星星并不会闪烁，因为外太空没有任何**空气**，光线不会发生弯曲。你看到的这张照片是哈勃太空望远镜拍摄的。通常，只有最大、最亮和最蓝的恒星是可见的。不过，这张照片也拍到了许多新形成的年轻恒星，看上去星光更微弱，颜色比其他的星星更黄。我们还可以看到蓝色的微光，那是年轻的恒星进行热核反应燃烧**氢气**时所产生的蓝光。

哈勃太空望远镜拍摄的照片：大麦哲伦星系里的 LH95 恒星育儿所（也叫恒星形成区域）

地球从哪里来？
请翻到第 48 页

天空中是有一匹马吗？

星星聚集在一起，就组成了星座。对于星座所形成的形状，我们总觉得它们有什么特殊含义。从 14 世纪开始，人们绘制了有关星空星象的图画，总共确定了 88 个星座。许多星座都以希腊神话中的人物命名。这张星图上那个伸展双翅的飞马星座，你找到了吗？

这张星图显示了太阳轨道、月亮的相位以及从地球上可以看到的星座，1670 年

月亮是夜空中最亮的天体，也是距离地球最近的天体。

月球沿着椭圆形的轨道绕地球转动。距离地球最近的时候，月球离地球 363 104 千米。这个位置被称为近地点。离地球最远的位置叫作远地点，此时月球距离地球 405 696 千米。地球和月球之间的平均距离约为 384 400 千米。你可以这样来想象地球和月亮之间的距离：如果把它们连成一条线的话，中间的距离大约可以放下 30 个地球。

在德国故事《吹牛大王历险记》中，闵希豪生男爵跑到月球上去了

目前为止，我们还没有发现火星上过去或是现在存在生命的确凿证据。然而，现在有很多证据表明火星表面曾经有水。所有生命体都离不开水，所以这可能意味着微生物曾经生活在火星这个“红色星球”上。2012年8月，美国国家航空航天局发射了“好奇号”火星探测器。这个探测器有点像一辆远程遥控汽车，它可以在火星上四处行驶，寻找是否有生命存在的痕迹。现在它仍然在火星上面呢，快看！

火星上的“好奇号”自拍照

地球从哪里来？

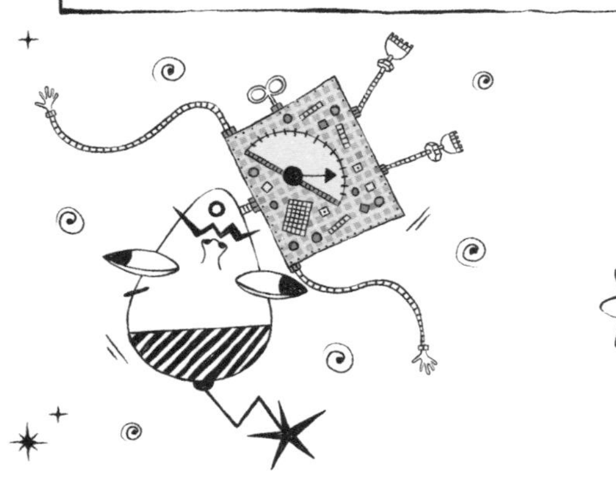

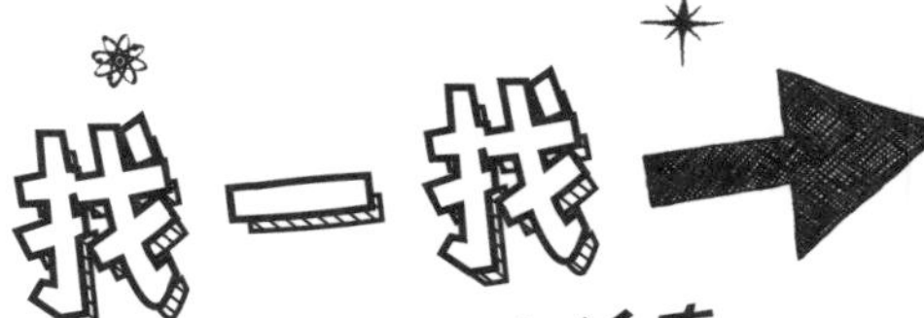

科学家们认为，地球是在一场温度非常高的爆炸中形成的。

那次爆炸被称为“宇宙大爆炸”，发生在大约136亿年前。当时，整个宇宙集中在一个**小点**上，在那次高温爆炸中，宇宙迅速膨胀。大爆炸之后，宇宙开始向外膨胀，各种天体不停地相互碰撞。这些天体逐渐变大，形成了包括地球在内的太阳系中的各大行星。今天宇宙仍在不断膨胀，但是**引力**减缓了宇宙的膨胀速度。

卫星拍摄的无云状态的地球画面

科学家们还发现了一种“宇宙中**最古老**的光”，给它命名为“宇宙微波背景辐射”（简称 CMBR）。这种辐射被认为是最初宇宙大爆炸遗留下来的热辐射。

星星，又叫恒星，是由大片大片的气体和尘埃孕育而成的。这些大片的气体和尘埃被称为“星云”。可以说，星云是恒星的摇篮。最著名的星云就是猎户座星云，我们能用肉眼看到。这些星云在自身重力的作用下开始收缩。星云变得越来越小，然后碎成一团一团的。每一团星云物质最终产生越来越多的热量，相互挤压也越来越厉害，变得更亮更热。而当温度达到1 000万摄氏度时，团块在高温下发生聚变反应，其产物与气体、尘埃相互作用形成清晰的球体，这样一个团块就形成了一颗新的恒星。

恒星的诞生地——猎户座星云

哪颗恒星离我们最近？

答案是太阳。太阳距离我们大约1.5亿千米远。别看它离我们这么遥远，它的光和热却能照亮和温暖地球，使得地球上所有的生命存活下来。除了太阳之外，下一个离地球最近的邻居就是半人马座α，这是一颗三合星，就是由引力维系在一起的三颗星星。其中半人马座A星和B星是两颗明亮且紧挨着的星星，组合中的另一颗子星距离这两颗星较远，光芒黯淡，这就是著名的“比邻星”。

在美国优胜美地国家公园拍摄的银河系照片，银河系包括了我们所在的太阳系

太阳会永远发光吗？

一般来说，恒星不会永远发光。恒星的寿命取决于恒星的大小。太阳算是一颗中等个头的恒星，理论上说，数十亿年以后，太阳将退化成一颗白矮星，只能发出微弱白光。幸运的是，我们不必杞人忧天，还要再过50亿年太阳才会变成白矮星呢！而那些更大的恒星，也就是重量级恒星，生命周期与普通恒星有所不同。它们最终会在超新星大爆炸中分裂开来，残留的部分要么变成另一颗恒星，要么变成一个黑洞。

《收割者》，文森特·凡·高，1888年

如果你想钻进黑洞看一看，那你也许就回不来了！

当一个**巨大的恒星**燃烧殆尽，就会在自身的质量下**坍塌**。在坍塌内爆的过程中，如果这颗恒星质量足够大，就会产生一个黑洞。在星系中，每一千颗恒星中就有一颗最终会变成黑洞。

一个处于**旋转**之中的黑洞，有着超大的引力，可以使周围的光线**扭曲变形**，形成一个黑洞阴影。这个阴影看起来比黑洞大五倍。你无法看到黑洞本身，你只能看到黑洞的影子，影子被一个明亮的光环围住。

如果你真的掉进了一个黑洞，接下来会发生什么，其实科学家们也不知道。有一种理论认为，你会被拉扯成意大利细面条，整个人四分五裂。

艺术家想象中的质量超级大的黑洞

什么是虫洞？

虫洞是一条穿越时空的狭窄通道，在宇宙中的不同时空穿梭时，可以利用虫洞作为一条捷径。1935年，物理学家阿尔伯特·爱因斯坦和纳森·罗森提出，虫洞可能存在于不同的时空点之间。如果想要来一次穿梭时空的长途太空旅行，虫洞就非常有用啦！然而，到目前为止，人类还没有找到一个虫洞。

《虫洞》，马克·加里克，创作时间不明

如果我在太空里大叫，会有人听到吗？

啊啊啊啊 啊啊啊啊 啊 啊 啊！！

在太空中，无论你叫喊得多么大声，都没有人会听到。这是因为太空中没有空气。没有空气的空间被称为真空。声波无法在真空中传播，所以你的尖叫声传不到任何人的耳朵里。

这种无声效应发生在距离地球约 100 千米以外的外太空。在那里，地球的空气外罩也就是大气层，就消失了。

《呐喊》，爱德华・蒙克，1893 年

我们的宇宙是由什么构成的？

我们看到的、闻到的、触摸到的一切，也包括行星和恒星，都是由物质构成的。有些物质是由叫作原子的微小粒子组成的。也正是由于原子的存在，地球和太阳在引力作用下相互“牵引”着。但是，只有大概 15% 的物质是由原子组成的。科学家认为除此之外的其他物质都是由“暗物质”构成的。没有人知道暗物质到底是什么，因为从来没有人见过暗物质！人们知道世界上有暗物质存在，是因为其他物质受到了它们的“暗中”作用或影响。

大型强子对撞机，一种强大的粒子加速器

为什么警报声从身边经过的时候，听起来怪怪的？

其实，奇怪的不仅仅是警报的声音，任何移动的声音听上去都会怪怪的。

声音以**声波**的形式，从源头传播开去。音调高的声音以快速上下振动的声波传播，而音调低的声音则以上下振动缓慢的声波传播。当声源处于移动状态的时候，比如一辆消防车向你驶来，声波会更快地到达你的耳朵，所以，警报的声音听起来音调变高，也更**尖锐刺耳**。

复古消防车模型，1910 年

听一听

下次消防车从你身边“嗖——嗖——”而过的时候，警报声会不会怪怪的！

当消防车驶离你的时候，声波需要更长的时间才能到达你的耳朵，这时候，消防车的警报声音听上去音调变低了。

而实际上，警报的声音并没有发生任何改变，只是听上去感觉不一样。这就是“多普勒效应”。多普勒效应是指当观测者与波源发生相对运动时，接收的波的**频率**会发生变化。这个效应是以奥地利物理学家——克里斯蒂安·多普勒的名字命名的，因为他解开了这个有趣现象的谜团。

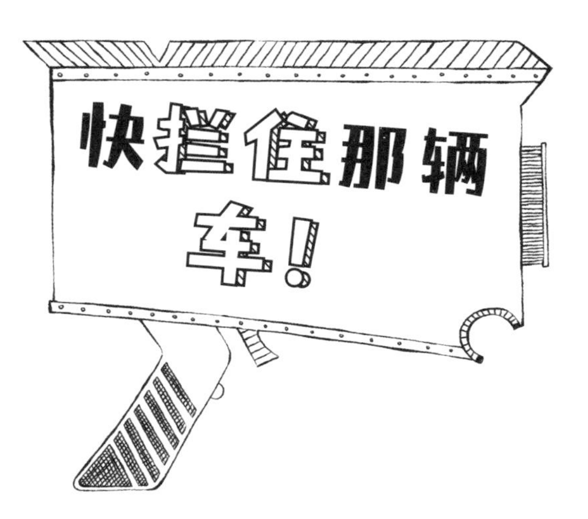

雷达测速枪能够判断汽车是否超速吗？是的，可以。一名警察站在路边，用雷达枪瞄准一辆开过来的汽车。雷达枪发出无线电波，无线电波会以不同的频率从车上反弹回雷达枪。无线电波返回的速度与汽车的行驶速度成正比。也就是说，司机开车的速度越快，无线电波返回的速度也越快。超速越多，那当然就意味着罚款越多了！

雷诺汽车，1900 年

声波长啥样？

声音以声波的形式传播。可是，我们的肉眼是看不到声波的。好在德国物理学家奥古斯特·托普勒发明了一种名为纹影图像的摄影技术。当声波在空气中传播时，声波会改变周围空气的密度或厚度。当空气的密度发生改变时，这种变化会使光线弯曲——而我们的眼睛是可以看到光线的。通过同时使用放大镜和强光，托普勒就能用相机捕捉声波了。采用托普勒的这种技术，可以观察到其他肉眼看不见的东西，比如蜡烛燃烧时产生的热量……

声波照片，贝尔实验室，1950 年

什么是音爆？

音爆是一种巨大的声响，类似爆炸。当飞机的飞行速度与声音的传播速度一致或比声音速度更快的时候，就会发生音爆。也就是说飞机比它所制造的声波飞得更快。所有的声浪聚集在飞机后面一个极小的空间里。当聚拢的声波到达地面的时候，人们就会清清楚楚地听到轰鸣声。声波也会引起地面上的振动。就是因为这个原因，超音速飞机，也就是飞行速度比声音速度更快的飞机，是不允许在居民区上空飞行的。

F/A-18E 超级大黄蜂战斗机冲破音障

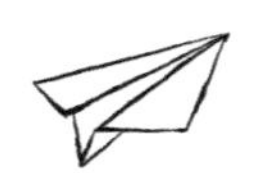

飞机为什么不会从天上掉下来？

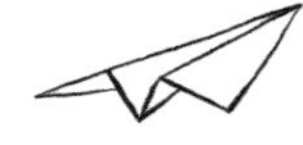

大多数飞机都是金属做的，体积庞大，一般有好几栋楼房那么大。

天啊！这怎么可能呢？

那么，这么重的飞机为什么能飞在空中不掉下来呢？秘密就在于飞机的外形设计充分考虑了关系它飞行的几种力：**升力**、**重力**、**推力**和**阻力**。

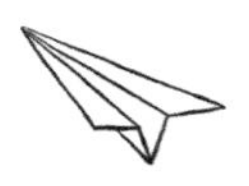
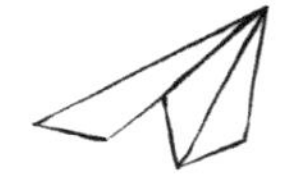

升力能够向上推动飞机。所以，飞机机翼的上侧要凸起来一些，下侧要平滑一些。这样的设计可以让机翼上方的空气比下方的流动得更快，使得机翼上方压力小，下方压力大。这样一来，机翼上下方的压力差就产生了升力，将机翼托起来了。

然而重力会将飞机拉回地球，阻力也会使飞机减速。制造飞机的时候，我们会让飞机的重量从前向后**均匀分布**，这样机身就能保持平衡。有时飞机发动机会使用螺旋桨或喷气引擎向前推动飞机，确保空气源源不断地沿机翼流动，制造更多的升力。只有升力、重力、推力和阻力这四种力量共同协作，飞机才可以在天空飞行。

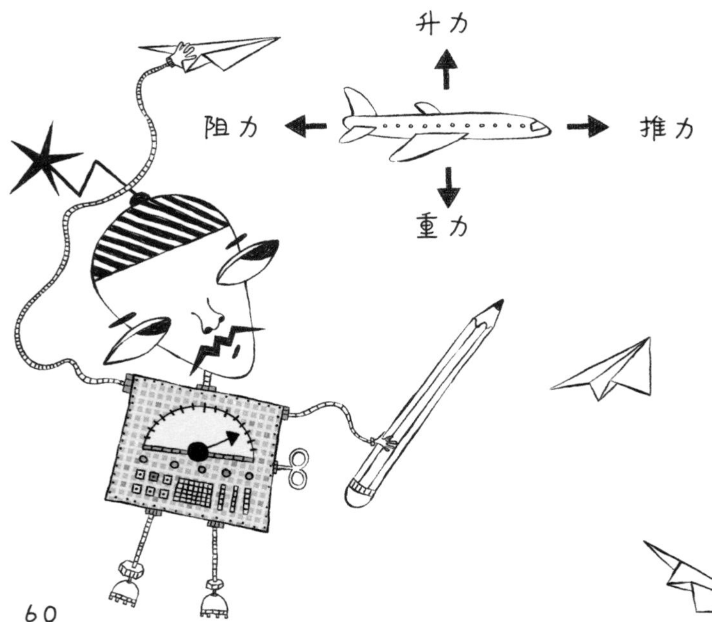

《飞越北冰洋英国营地的一架飞机》，莱恩丽·卡尔，1928 年

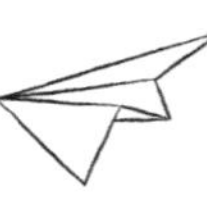

汽车能飞上天吗？

汽车可以飞，但不会飞得太好。尽管电影《飞天万能车》里面，制造一辆会飞的汽车看起来不费吹灰之力。然而实际上，把汽车设计和飞机设计结合在一起真的是一件很困难的事。飞机和汽车的机械特征天差地别，飞机要尽量轻，要能在天空中飞起来，汽车要安全，要能安稳地在地上跑。是的，我们可以造出一款能够飞行的汽车，但它既不会是一架性能良好的飞机，也不会是一辆很棒的汽车。当然了，说不定未来可以改进技术，让汽车能够轻松地飞啊飞呢。

电影《飞天万能车》剧照，1968 年

物体是怎么动起来的？

大科学家牛顿提出了关于物体运动的三大定律，来解释物体运动背后的科学原理。

1. 如果一个物体，比如一个球，原来是静止的，那它不会自行开始动起来。如果一个物体处于运动状态，没有外力的话，这个物体不会停下来或改变运动方向。
2. 推力越大，物体的运动速度越快。
3. 一个物体受到外力作用时，必然会产生一个与之相对的反作用力，作用力与反作用力大小相等，方向相反。

往山坡上推石头的红蚂蚁

为什么英文里说“像制帽匠一样疯癫”？

有一种非常古老的疾病叫作“疯帽匠病”。这个名字可是大有来头，历史上曾经爆发过水银（汞）中毒。那时候，做帽子的专业人士被称为“制帽匠”。制帽匠为了做出溜光水滑的帽子，就用水银处理毛毡和毛皮。后来，人们就发现很多制帽匠都疯了，于是就有了“像制帽匠一样疯癫”的说法。水银是一种毒性很强的物质，它不仅让制帽匠深受其害，据说牛顿这位天才后来变得疯疯傻傻，也可能是因为他做化学实验时长期与水银接触。

《爱丽丝梦游仙境》一书中的人物“疯帽子”，约翰·坦尼尔，1889 年

我们怎么知道地球是圆的？

想一想

地球上的物体会掉下来吗？

在古代，人们认为地球是平的。

古人认为在地球以外唯一存在的东西就是天空。公元前6世纪，**希腊哲学家**安纳西曼德提出了这样一个观点：地球处在一个完全空旷的空间里，像一个飘浮在这个空间中的锡罐，太阳和星星都围着它转动。安纳西曼德的学说是科学界的一场**革命**，因为他的这个假说离真相更近了一些，与此前人们对地球的想象完全不同。

如果你想证明地球是圆的，一个最简单的方法就是开始一场**长途飞行**。当你在高空的时候，你会注意到两件事。首先，飞机可以直线行驶很长很长的距离，但永远不会从地球边缘掉落。此外，在飞过海洋的时候，从窗外看去，通常你会看到地球边缘的**弧形**地平线。

一张想象的扁平地球的地图，安图·代亚

恒星就是不动的星星吗？

你可能见过流星从夜空飞过，感叹它的转瞬即逝，可你并没有见过恒星在天空飞来飞去，对吧？其实恒星并非不动，因为它们离地球实在太远，不借助特殊工具和特殊方法很难发现它们在天空中的位置变化，因此古代人把它们称作恒星。你在照片中看到的恒星星迹是由地球旋转引起的，并不是星星移动的轨迹。这张令人叹为观止的照片拍摄于南美洲的安第斯山脉。这张照片显示了一个夜晚在地球旋转过程中恒星的相对位置变化。当我们在恒星下方移动专业仪器的时候，星空会留下圆形的轨迹。

旋转的南方恒星在智利 ALMA 望远镜上方掠过

为什么我感觉不到地球在旋转？

在赤道，地球自转的速度是每小时 1 674 千米，但是你一点都感觉不到地球在转动！因为你和地球上的所有物体，包括海洋、山脉和陆地，都在以相同的速度与地球一起旋转。

在地球上跟随地球一起旋转，就有点像搭乘一架匀速飞行的飞机。你几乎可以说服自己，你并没有在移动。巨型喷气式飞机以每小时 800 千米的速度高速飞行，但是当你在飞机里时，却一点儿也感觉不到自己正在飞速移动。

飞速旋转的飞椅

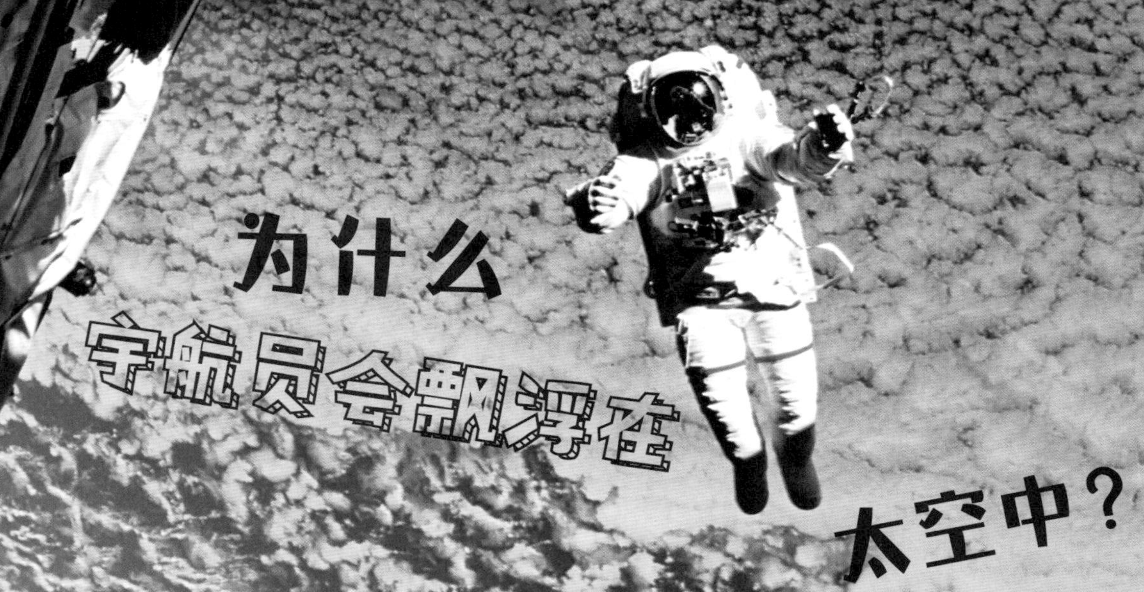

为什么宇航员会飘浮在太空中？

太空中的引力很小，跟地球表面的引力相比，几乎可以忽略不计，所以宇航员都是飘浮在太空中的。引力就是每个物体将其他物体拉向自身的力量。有些人错误地认为太空中没有引力。事实上，太空中还是存在引力的，只是引力非常小。引力的作用很神奇，它使月球沿着轨道绕地球旋转，让地球沿轨道绕太阳旋转。引力的存在可是很重要呢。因为有引力，太阳只能“乖乖听话”，老老实实地待在银河系，我们也能够在地球上站稳不会飘走。

宇航员马克·李在“发现号”航天飞机外进行太空行走，此时他距离地球 200 多千米

为什么大海是蓝色的？

我们总说蓝蓝的大海，可大海并非永远都是蓝色的哦。大海有五彩缤纷的颜色，甚至还可以闪闪发光。

海洋会吸收阳光。红色、橙色和黄色的光比蓝色的光更容易被吸收。因此，当白色的太阳光进入海洋的时候，里面大部分的蓝色光线都会被海洋**反射**回来，我们的眼睛就看到了蓝色。

有时，海洋看起来是绿色的，甚至是红色的。这可能是因为海洋中生活着藻类和海洋植物。红海中富含**红藻**，并因此而得名。如果天气多云，大海看起来就是灰色的。如果海水中含有大量的淤泥或沙子，特别是在暴风雨搅动了海水之后，海洋看上去就是棕色的。

生物发光现象：马尔代夫瓦度岛鲁阿环礁的发光浮游生物

最奇怪的就是，海水有时候会**闪闪发光**。水手们最早记录下了这种罕见奇观。他们是这么描述的：在伸手不见五指没有月光的夜晚航行，“忽然仿佛驶入了亮堂堂的雪地”。他们所看到的发光的大海，很有可能是发光生物的聚居地。这种发光效应被称为**生物发光**。

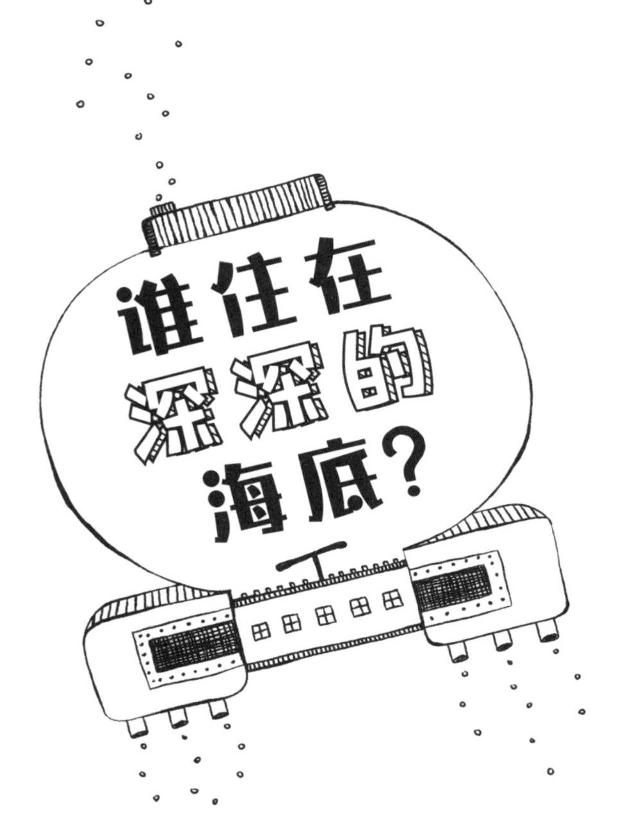

因为太阳光线无法抵达深海，海底一片漆黑，十分寒冷。尽管又黑又冷，深海仍然是一些生物的家园。巨乌贼、垂钓鱼和乌贼蠕虫等物种已经适应了深海的环境，生活得好好的。乌贼蠕虫的头上有10个类似触手的“胳膊”，每个胳膊都比它自己的身体还要长。它用这些长长的胳膊搜集上层海洋中漂下来的食物颗粒。生活在深海的生物要能承受巨大的压力和极端的低温。许多深海生物的体内都含有某种防冻物质，这样才不会被冻死。

乌贼蠕虫在西里伯斯海2800米深处游泳

我们可以住在潜水艇里吗？

是的，你可以在潜水艇里住上好长一段时间呢。世界上很多海军可以在水下的潜艇中连续生活三个月左右。在潜艇里呼吸需要的氧气已经不是一个大难题了，因为水手们可以循环利用自己呼出的二氧化碳气体，用氧气再生装置将这些气体转变为新鲜氧气。人们可以在水下停留多久，就看带了多少食物和生活必需品。

军用潜艇的横截面模型

怎样才能到海底去？

如果没有发明像潜水艇这样的船只，人类就不可能深入到海底。海底的压力很大，会让我们粉身碎骨。可是，只要带上合适的设备，我们是可以潜入大海深处的。早在太空服问世之前，人们就发明了潜水服。历史上第一个潜水头盔是在17世纪末由天文学家爱德蒙·哈雷发明的。那基本上是一个大型的金属头盔，通过一根管子给潜水员供氧呼吸。

对潜水服进行深海测试，1933年

大山是怎么形成的？

山脉是由地球表面的剧烈运动形成的。

按照形成方式来分，世界上有四种类型的山脉，最常见的是**褶皱山脉**。当地壳中两块巨大的构造板块相互碰撞，板块交界的边缘会产生褶皱和折叠，向上推动形成褶皱山脉。你不妨动手做个小实验吧。随便找一本书，用一只手拿起书脊的一侧，另一只手拿起书的另一侧，然后双手一起往中间使劲，是不是推起一座“小山”？这其实和褶皱山的成因是一个道理。世界上海拔最高的一些山脉，包括**喜马拉雅山**，都是板块交界处形成的褶皱山。

火山山脉也是一种类型。火山爆发也会形成山脉。当火山在断层线或地球板块相遇的地方反复喷发时，可能使熔岩和火山灰从地球深处喷出。随着时间的流逝，火山熔岩会积聚并慢慢硬化，从而逐渐形成山脉。

《克洛斯特斯山脉》，恩斯特·路德维格·基尔希纳，1923年

第三种类型是**圆顶山**。地壳下面的熔岩压力变得越来越大的时候，会把表层的岩石向上推动，并在地壳中形成圆形膨胀。岩浆冷却后，就形成了岩石圆顶。经过侵蚀**裸露**后，我们就会看到圆顶山。

第四种类型是**断层山**。当两个块板互相挤压的时候，没有发生褶皱或是折叠，而是岩石断裂，那么上升的大块岩石就会形成所谓的"断块山"。

世界上最高的山峰是哪一座呢？

冒纳凯阿火山是太平洋上的一座火山岛，是构成夏威夷的火山岛之一。冒纳凯阿峰海拔 4 205 米，远低于地球上最高的山峰珠穆朗玛峰。珠穆朗玛峰可是海拔 8 844.43 米呢。

不过有一点需要注意！海拔高度计算的是从海平面到山顶的距离，因此按这种方式计算的话，冒纳凯阿火山就有些“吃亏”了，因为它的大部分山体都藏在水下。如果测量山脚到山顶的距离的话，冒纳凯阿火山的高度将超过 10 000 米——一跃成为世界上最高的山峰！

《航行在柯哈拉海岸，远观白雪皑皑的冒纳凯阿山》，1830 年

世界上还会形成新的山脉吗？

是的，最年幼的山脉正在生长发育之中！夏威夷群岛或夏威夷岛链位于太平洋中部。这里有 132 个在海平面之上的多山岛屿、珊瑚礁和小岛。从海底算起的话，小罗伊希山的高度为 3 048 米，但它要浮出海洋表面还需要“长高”940 米。数万年以后，这个小小的熔岩山可能会在海平面以上露出“脸”来。

流入太平洋的滚烫熔岩

山会长高吗？

是的。现在已有明确的证据表明，地球上有些山脉曾经与海平面等高，甚至比海平面还要低。在喜马拉雅山脉和安第斯山脉的岩石样本里，人们发现了 18 000 年前的海贝壳。目前，世界上最高的山峰珠穆朗玛峰的海拔是 8 844.43 米。不过，科学家们认为它还在继续长高。所以，未来征服珠峰的勇士可能要比前辈们花上更多的时间才能登顶了。

著名登山家埃德蒙·希拉里登顶珠穆朗玛峰，1953 年

为什么会打雷、闪电？

闪电是在雷雨云内部产生的电流。

当温暖湿润的空气遇到较冷的空气时，会形成**雷雨云**。暖空气上升，形成巨大的云层。云层中的微小冰晶相互碰撞产生了**静电**。随后，雷雨云浑身上下都带上了电，当它将电量释放出来的时候，你就会看到天空中的一道道闪电。

我们会听到轰隆隆的雷声，那是因为闪电在天空划过的时候，沿途的空气温度很高且处于流动状态。打闪电时，空气中会形成一个**空洞**，被称为闪电的“通道”。

电影《金刚》剧照，1933 年

“通道”中的空气遇到高温急剧膨胀，而在闪电消失的瞬间又会迅速冷却，因此空气会快速收缩。这意味着这个洞就会**坍塌**，而洞坍塌时发出的巨大声响就是你所听到的打雷声。在地球上，雷电是非常普遍的一种现象。据估计，闪电击中地球表面某个地方的情况，每秒钟大概发生 100 多次呢。

请翻到第 84 页

只有暴风雨天气才会有闪电吗？

在雷雨天气时，常常会有闪电，但有时火山爆发时也会产生闪电。

当火山上方的岩石碎片、火山灰和冰晶微粒互相碰撞时，就会产生电量。冰晶会在普通的暴风雨云中产生电荷，所以也会在火山灰云中产生闪电。

活火山周围形成的闪电

闪电有多烫手？

千万不能摸！闪电的平均温度非常高。它能将周围的空气加热到27 700℃左右，太阳表面的温度大约为5 505℃，所以闪电的温度是太阳温度的5倍左右。更令人惊讶的是，一道闪电其实可以很窄，就和一个普通手机的宽度差不多，只有5厘米左右。

我们的恒星——太阳

闪电真的不会两次击中同一个地方吗？

俗话说，闪电不会两次击中同一个地方。但事实可不是这样的。

许多地方或物体都会经常被闪电击中，尤其是高的物体。它们更靠近带电的云层，所以更容易引来闪电。美国的帝国大厦每年都会遭到将近25次雷电袭击！

闪电击中帝国大厦，1957年7月9日

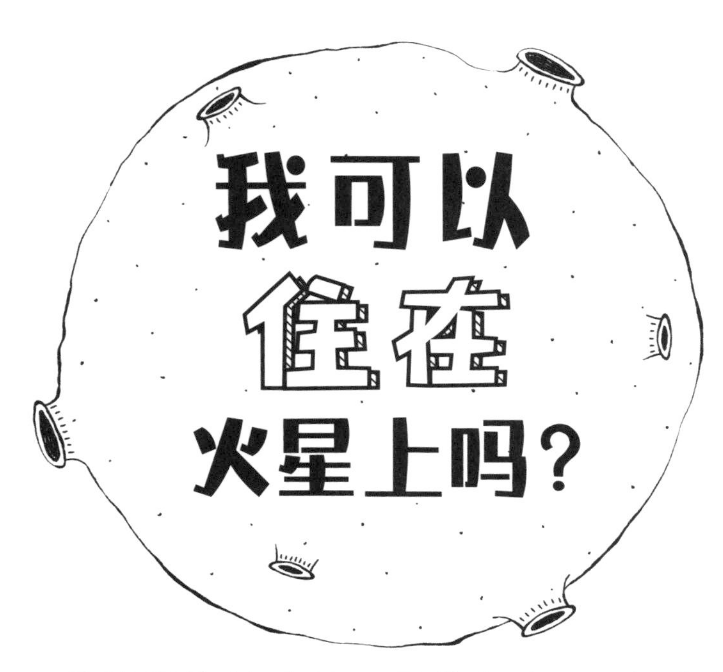

我可以住在火星上吗？

美国国家航空航天局希望在2030年之前将宇航员送到“红色星球”火星上去。

然而对于人类而言，要想在火星的环境中生存下来是**极其困难**的。火星上十分寒冷，又有强烈的辐射，这种辐射会对人的身体造成伤害。美国一家私人公司——太空探索技术公司SpaceX，有一个目标，那就是让人们能够更早到达火星——在2024年之前。不过，到达火星和住在火星上完全是两回事。

看一看

你在“红色星球”上的卧室是这样的！

数十亿年前，火星也像地球一样，被空气和水包围着。不过现在，火星上的大气对人类来说是无法呼吸的，因为它的大气多是由**二氧化碳**组成。不过从好的方面看，火星的外层由一种叫作风化石的混凝土材料覆盖着，这种材料可用于建筑。火星还有**洞穴系统**，可以被改造为地下家园，保护人们免受辐射。太空探索技术公司 SpaceX 的创始人埃隆·马斯克的目标就是在火星上建立一个**聚居地**，可以容纳 100 万人。

一位艺术家关于在火星洞穴安家的想象画

我什么时候能去太空度假？

到太空去过个暑假这个梦想似乎很快就会成为现实。人们正在开发可以带人类去到月球的宇宙飞船。不过目前我们还不太能够大规模运送人类。因为首先，太空旅行非常昂贵，仅仅是发射飞船进太空就需要190万升的燃料，这相当于42 000辆汽车需要的燃料。2001年，第一位太空游客花了高达1 500万英镑，只够在太空待一个星期。其次，太空旅行是危险的。飞船要穿过地球的大气层，返回时又重新进入大气层，因此，就必须要有极高的速度、大量的热量和燃料。但是至少，我们不必担心外星人……也许吧。

《和两位宇航员在一起的外星人》，
安东・布热津斯基，创作时间不明

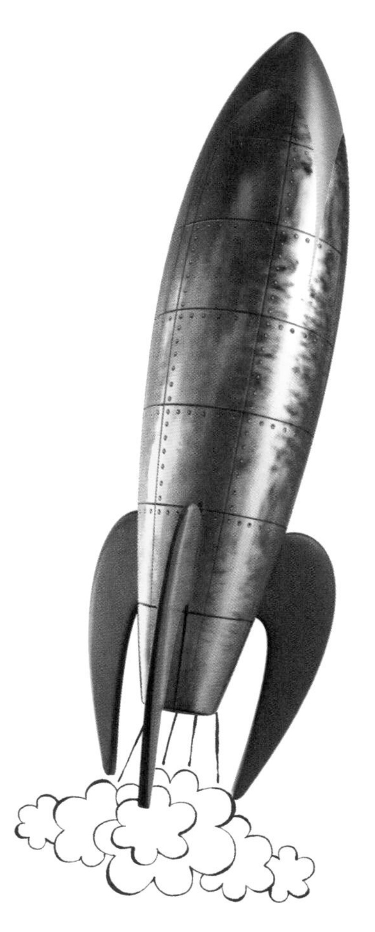

火箭有多快？

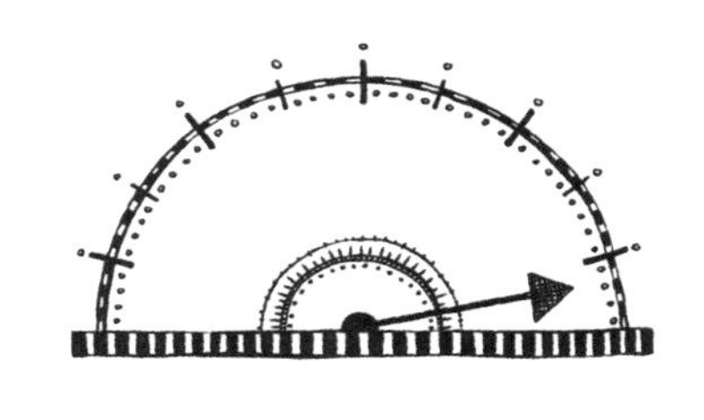

如果火箭能够长时间加速或者获得速度的话，那么任何火箭都可以达到非常高的速度。不过普通的火箭很难做到这一点，因为它们需要大量的燃料才能进入太空。而燃料的重量也会使火箭自重超标不能起飞。飞向太空的火箭最低飞行速度是每小时 44 000 千米。火箭去的地方离地球越远，它就需要越快的飞行速度。如果火箭想要飞到月球，它的飞行速度就需要达到每小时 66 500 千米。你想感受一下这个速度吗？它就相当于眨一下眼睛的工夫，跑了标准操场的 45 圈哦。

玩具火箭

月亮上真的有人吗？

月球上没有人，不过有时候月亮看起来确实像一张笑脸。数十亿年前，月球被强大的小行星撞击，从而引发了月球表面的火山喷发。炽热的熔岩喷涌而出，涌向月球的地表。熔岩冷却之后，形成了低平暗黑的区域，这些区域被称为“月球玛利亚”或“月海”。在满月的时候，这些月海看上去就像是一个咧嘴笑的人脸，俗称“月中人”。

电影《月球旅行记》剧照，乔治·梅里爱，1902 年

当我们说“云”的时候，只是指天上的云吗？

我们来谈谈另一种云，云计算中的云。云计算描述的其实是如何通过互联网获得信息。

如今，我们不再需要将信息存储在书本或我们所在房间的计算机中，而是可以将它们保存在世界任何地方的远程服务器上。**云计算**使得我们获取、保存和交换信息的方式发生了巨大变化。

我们自己可能都很难真的弄清楚，所有东西各自都保存在了“哪里”。因此，“云”这个名字能让人们更容易想象出信息的来源——信息就保存在**互联网**这朵松松软软的“云”中的某处。

大多数人每天都在使用云计算，他们自己甚至没有意识到这一点。当你坐在电脑前或使用智能手机在谷歌、百度等搜索引擎中输入问题时，你的设备所做的工作其实只有那么一点，它只是一个**信使**而已。实际上你输入的文字会迅速通过互联网，传到某个搜索引擎成千上万的集群计算机中的某一个，这个计算机会把结果找出来并迅速发回给你。所以当你用谷歌进行搜索时，寻找答案的真正工作可能是由位于美国加利福尼亚州或日本东京的某台远程计算机完成的。

天空中的积云

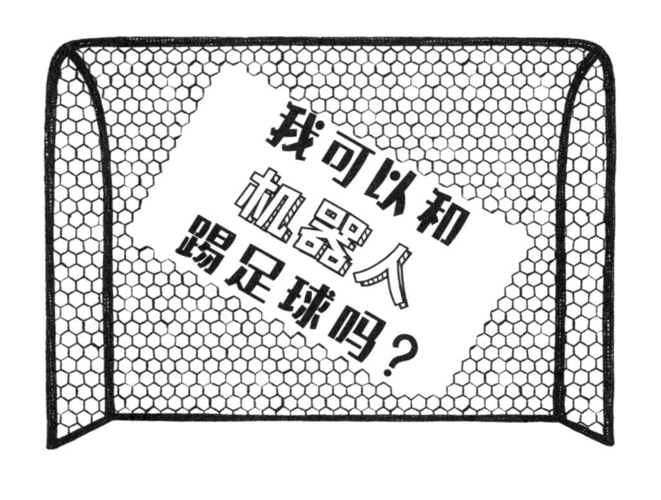

阿西莫是目前世界上最先进的人形机器人之一，ASIMO 是它的英文原名缩写，意思是高级步行创新移动机器人。它拥有足球运动员需要的平衡性和敏捷性，还能以每小时 6 千米的速度奔跑。阿西莫每年都会去参加机器人世界杯足球锦标赛呢。人们有一个设想，那就是到 2050 年，机器人足球队能在一场足球比赛中打败那时在世界杯足球赛夺冠的人类冠军队伍。

机器人在 2017 年日本名古屋机器人世界杯足球赛上你争我抢

鼠标和老鼠之间有什么关系？

道格拉斯·恩格尔巴特在 1968 年发明了计算机“鼠标”。但一开始，他起的名字是“显示系统的 X-Y 位置指示器”，这个名字真的太不好记了。当人们问起是怎么想到“鼠标”这个可爱的名字时，恩格尔巴特说：“记不得具体是从什么时候起开始用这个名字了。因为它看起来就像一个拖着长尾巴的老鼠，所以我们都这么叫了。”鼠标的线，也就是它的“尾巴”，最初的设计是从用户的手腕底下钻出来。

小田鼠

最大的计算机有多大？

最早期的计算机十分笨重。SAGE 计算机系统是早期计算机中体积最大的“大块头”。SAGE 指的是“半自动地面防空系统”，它建于 1957 年。由于体积太大了，所以它被分布在 20 多个不同的地方。SAGE 的每一部分都差不多有一个足球场那么大。不过尽管 SAGE 块头很大，但它的处理能力还赶不上现在的一台手机。现如今，计算机的体积可能比纸上的一个句号还要小，要用显微镜才能看清楚，而且人们还在不断想办法让它变得更小。

早期的计算机，1950 年

为什么我会做梦？

梦是各种各样、千奇百怪的。有的让人感到开心，有的让人害怕，还有的让人伤心难过。

梦境结合了各种各样的影像、想法、情绪和感觉。我们还**不完全了解**自己做梦的原因及目的。但是确实有一门专门研究梦境的科学，我们称之为“**梦学**”。我们在快速眼动睡眠期间最容易做梦。这个时候大脑非常活跃，我们的大脑也几乎和我们清醒时一样警觉。在快速眼动睡眠阶段，即使我们睡着了，我们的眼珠也在不断地转动。

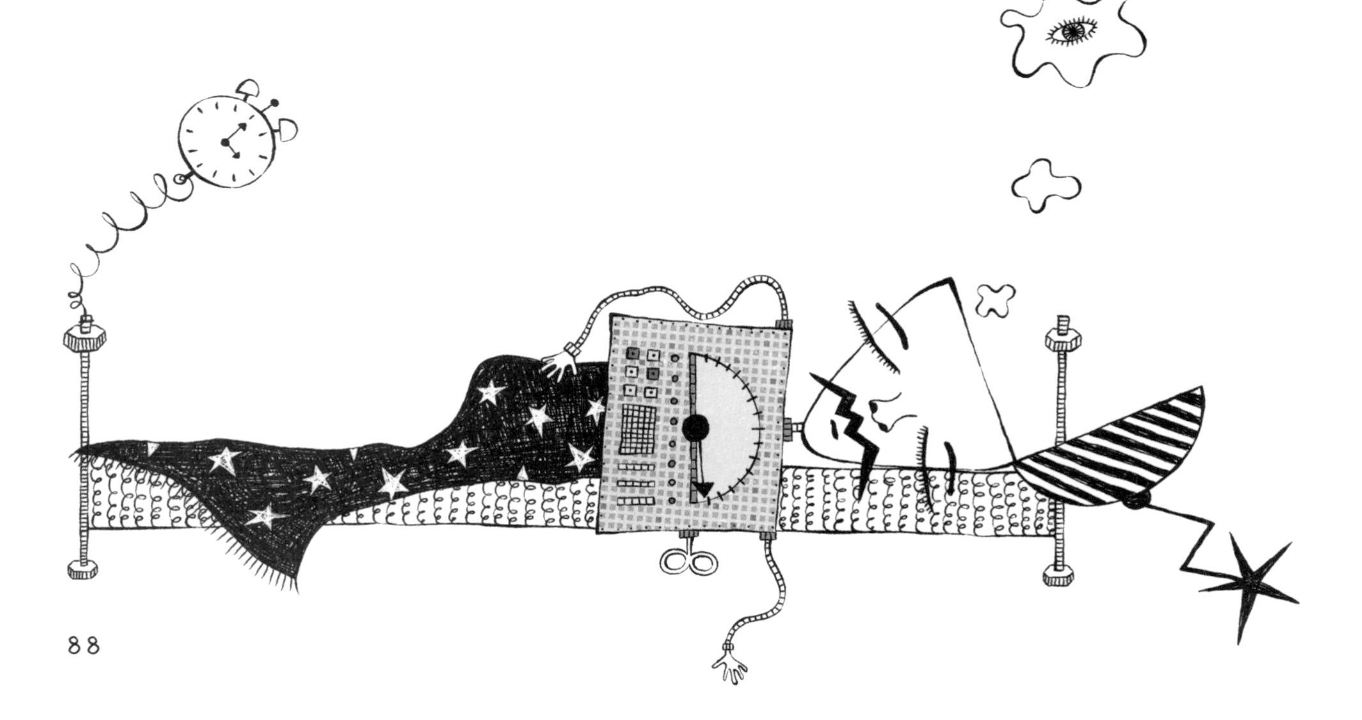

电影《爱丽丝梦游仙境》剧照："爱丽丝与白兔"，1972 年

有时候，我们在其他睡眠阶段也会做梦。只是我们记不住或记不清这些梦。在快速眼动睡眠阶段被唤醒的话，就更有可能**记住**自己做的梦。一般而言，人每晚会做三到五次梦，而且越是到深夜，梦越是**持续得久**。

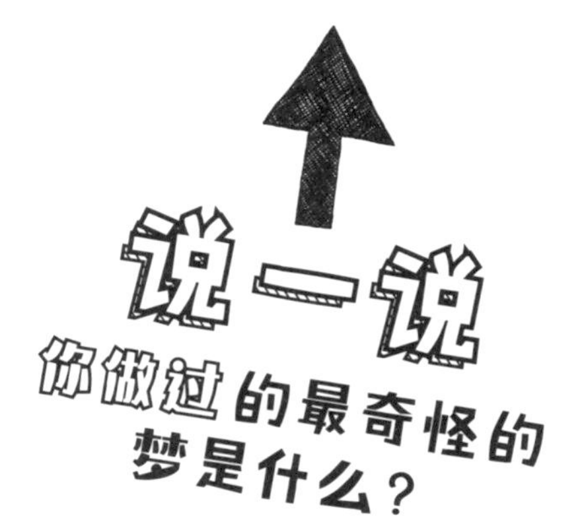

我们花多长时间在睡觉这件事上呢？

平均而言，每人每天睡 8 小时左右，也就是一天（24 小时）的三分之一时间用来睡觉。换句话说，我们一生中大约有三分之一的时间都在睡觉！这意味着一个 75 岁的人已经睡了大约 25 年的时间。听起来还不是那么夸张，据说在童话原著里，睡美人睡了 100 年！

《睡美人》，维克托・米哈伊洛维奇・瓦斯涅佐夫，1900—1926 年

为什么我们会梦游？

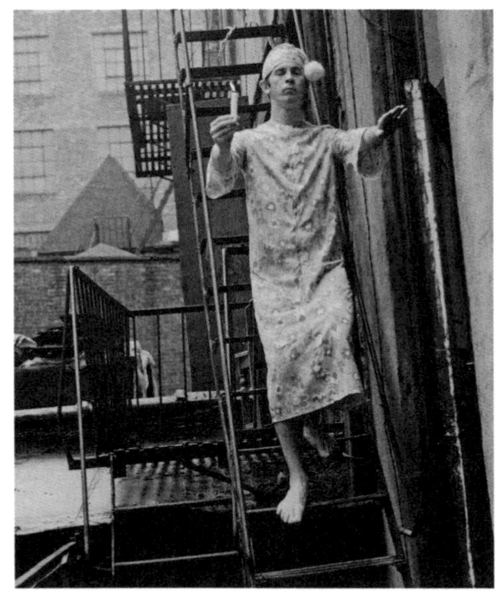

有些人在深度睡眠时会梦游。这种情况在儿童中比在成年人中更常见。如果一个人的睡眠不足，则更可能发生这种情况。梦游的表现多种多样，有的人会坐在床上并四处张望，有的人在房间内或房屋周围走动，有的人甚至走出室外并开车去很远的地方。

医生并不确定导致梦游的原因是什么，但许多人认为梦游的发生可能与过度疲劳、正在服用药物或患有发热性疾病有关。

一名男子梦游走下火灾安全逃生梯

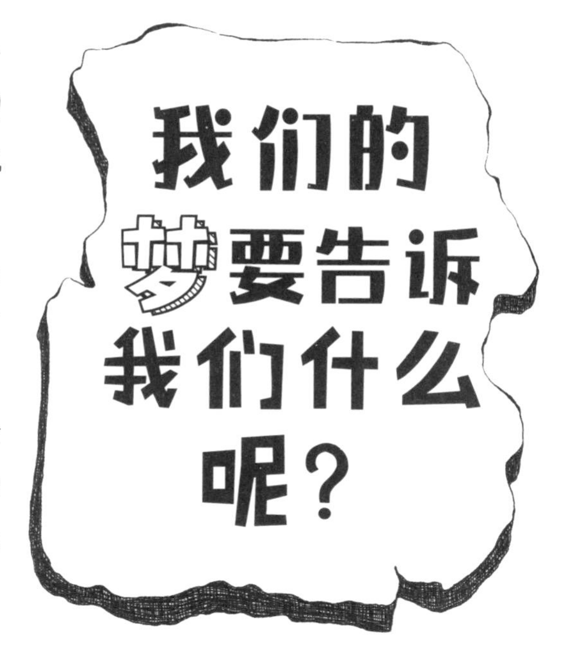

人们经常试图找出梦境背后的含义。如今许多科学家认为，梦可以揭示一个人隐藏的愿望和情绪。也有专家认为，梦是大脑用来储存记忆或解决问题的方式。

在古希腊和古罗马时代，人们相信做梦是收到了来自神或死者的直接旨意，或者做梦可以预测未来。在《圣经·旧约》中有个著名的故事，即约瑟夫为法老解梦。法老先后梦到七头强壮的母牛和七头瘦弱的母牛，七粒饱满的谷穗和七粒干瘪的谷穗，约瑟夫认为他的梦预示了七年的丰收之后会出现七年的饥荒。

《约瑟夫为法老解梦》，雷金纳德·亚瑟，1881—1896年

词汇表

氨基酸 人体细胞需要的化学物质，构成生命所需的蛋白质。

暗物质 宇宙空间中我们无法侦测到的、无法看到的物质。

捕食者 捕食其他动物的动物。

超音速 超过声音的传播速度。

DNA 脱氧核糖核酸的英文缩写，是携带遗传信息的化学物质。

大气层 围绕着地球或任何行星的气体圈层。

电子显微图 类似标准显微镜创建的图像，但具有更大的放大倍数。

辐射 能量从一个地方传播到另一个地方的过程，声、光和热都是辐射的例子。

构造板块 地壳被分为7个构造板块，板块运动非常缓慢，相互之间会产生摩擦和碰撞。

光合作用 植物将太阳光转化为食物的过程。

光圈 相机上控制光线通过的开口。

轨道 太空中一个物体绕着另外的物体运动的路线，如月球和人造卫星绕地球运行轨道，或地球绕太阳运行轨道。

海拔 海平面以上的高度。

解剖学 研究人体结构，研究人体骨骼、血管和器官等体内分布的科学。

进化论 一种理论，认为当今所有的生物都是从早期的生物进化而来的。

静电 在物体表面积聚起来的电荷。

K-T事件 大约6 600万年前导致恐龙大规模灭绝的事件。

抗生素 治疗细菌感染的药物，如青霉素。

频率 在特定的时间段或特定的时间单位内发生某事的次数、速率。

人形机器人 具有人类特征的机器人或其他人工智能。

色素 动物或植物的细胞中所含的天然色素。

生物发光 某些昆虫、鱼类或细菌自身释放自然光的现象。

授粉 花朵之间的花粉传递，能使植物受精并繁殖。

叶绿素 植物叶子中存在的绿色物质或色素。

引力 艾萨克·牛顿发现的地球对物体产生的无形的吸引力。

宇宙大爆炸 一个关于宇宙起源的理论，阐述了约136亿年前宇宙形成于一场物质和能量的巨大爆炸。

藻类 一类能进行光合作用的水生低等植物。

折射 光线从一种介质穿过另一种介质时，方向发生改变，产生弯曲。

真空 没有物质、甚至没有空气存在的空间。

索引

本书图片来源声明及致谢

a=above, b=below

6 John R. Foster / Science Photo Library; 7(a) Igor Siwanowicz, 7(b) Will & Deni McIntyre / Getty Images; 8 Photo by Wodicka/ullstein bild via Getty Images; 10 Michael Nichols/National Geographic Creative; 11(a) The Metropolitan Musum of Art / The Walter H. and Leonore Annenberg Collection, Gift of Walter H. and Leonore Annenberg, 1994, Bequest of Walter H. Annenberg, 2002;11(b) Henri D. Grissino-Mayer, The University of Tennessee, Knoxville; 13 Harry Todd/Fox Photos/Getty Images; 14(a) Children's Museum Indianapolis;14 (b) Moviestore Collection / REX / Shutterstock; 15 Mark Garlick / Science Photo Library; 16 Photos 12 Cinema / Geffen Company / Diomedia; 18 Maximilian Weinzierl / Alamy Stock Photo; 19(a) Bettmann / Getty Images; 19(b) Adstock RF / Diomedia; 20-21 Fox Photos / Getty Images; 22 Eye of Sciene/Science Photo Library; 23(a) Heidi & Hans-Juergen Koch / Minden Pictures / Getty Images; 23(b) Photo by Chris Hellier/Corbis via Getty Images; 24-25 Wikimedia Commons; 26 akg-images; 27(a) Photo by Leemage/Corbis via Getty Images; 27(b) Photo by Willy Rizzo/Paris Match via Getty Images; 29 Chronicle/Alamy Stock Photo; 30 Universal Images Group / Diomedia; 31(a) Bettmann / Getty Images; 31(b) Mehau Kulyk/ Science Photo Library; 32 Photo by Fox Photos/Getty Images; 34(a) Wellcome Library, London; 34(b) Bettmann / Getty Images; 35 Shutterstock; 36 Wikicommons / Jan Arkesteijn / CC-ShareAlike; 38 Photos 12 Cinema / Photo12/ WolfTracerArchive / Diomedia; 39(a) Eric Vandeville / akg-images; 39(b) Science Museum / Science & Society Picture Library - All rights reserved; 40 Photo (C) RMN-Grand Palais (MuCEM) / Gérard Blot; 42 Steve Gschmeissner/ Science Photo Library / Getty Images; 43(a) TopFoto.co.uk / EUFD; 43(b) Heritage Image Partnership Ltd / Alamy Stock Photo; 44 Photo by Fine Art Images/ Heritage Images/Getty Images; 46(a) World History Archive / Alamy Stock Photo; 46(b) Mary Evans / Playhour; 47 NASA/JPL-Caltech/MSSS; 48 EUMETSAT / DLR; 50 NASA, ESA, M. Robberto and the Hubble Space Telescope Orion Treasury Project Team; 51(a) WIN-Initiative / Getty Images; 51(b) Fine Art Images / Diomedia; 53 NASA/JPL-Caltech; 54 Mark Garlick / Science Photo Library/Getty Images, 55(a) Universal History Archive/UIG via Getty Images; 55(b) Maximilien Brice / CERN; 56 Old Visuals / Superstock; 58(a) Buyenlarge / Getty Images;
59(a) Universal Images Group / Diomedia; 59(b) Navy photo by Petty Officer 3rd Class Matthew Granito;
61 Mary Evans Picture Library; 62 Warfield/United Artists/Kobal/REX/Shutterstock; 63(a) Antrey/Getty Images; 63(b) Heritage Images / The Print Collector/ Diomedia; 65 Antar Dayal / Getty Images; 66(a) ESO/B. Tafreshi (twanight.org); 66(b) Kristen Elsby / Getty Images; 67 Shuttle Crew STS-64, NASA; 68 Doug Perrine/Nature Picture Library/Getty Images; 70 Larry Madin / WHOI; 71(a) Dorling Kindersley / Getty Images; 71(b) TopFoto.co.uk; 72 akg-images; 74 Hawaiian Legacy Archive / Getty Images; 75(a) Don King / Getty Images; 75(b) Everett Collection Inc / Alamy Stock Photo, 76-77 Photo by Ernest Bachrach/John Kobal Foundation/Getty Images; 78 National Pictures / TopFoto; 79(a) NASA/SDO/GSFC; 79(b) SuperStock RM/Diomedia; 80-81 ZAarchitects: Arina Agieieva, Dmitry Zhuikov; 82 Photo by Forrest J. Ackerman Collection/CORBIS/Corbis via Getty Images; 83(a) Getty Images; 83(b) Mary Evans / Ronald Grant / Diomedia; 84 northlightimages / Getty Images; 86 Kyodo News via Getty Images; 87(a) Rudmer Zwerver / Shutterstock; 87(b) Bettmann / Getty Images; 89 Moviestore Collection/REX/ Shutterstock; 90(a) Fine Art Images / Diomedia; 90(b) Mary Evans / Classic Stock / H. Armstrong Roberts; 91 Christie's Images / Scala Archives, Florence

图书在版编目（CIP）数据

为什么我感觉不到地球在旋转？/（爱尔兰）詹姆斯·多伊尔著；侯晟译.－北京：中国大百科全书出版社，2019.9
（爸爸妈妈请回答）
书名原文：Why Can't I Feel the Earth Spinning?
ISBN 978-7-5202-0528-3

Ⅰ.①为… Ⅱ.①詹… ②侯… Ⅲ.①科学知识－青少年读物 Ⅳ.①Z228.2

中国版本图书馆CIP数据核字（2019）第150714号

图字：01-2019-3478
Published by arrangement with Thames & Hudson Ltd, London

Texts by James Doyle
Original illustrations by Claire Goble
This edition first published in China in 2019 by Encyclopedia of China Publishing House Co., Ltd, Beijing

爸爸妈妈请回答
为什么我感觉不到地球在旋转？
[爱尔兰] 詹姆斯·多伊尔 著
策　　划：马丽娜　冯　蕙
丛书责编：冯　蕙
责任编辑：冯　蕙
翻　　译：侯　晟
美术设计：殷金旭
技术编辑：贾跃荣
责任印制：邹景峰
中国大百科全书出版社出版发行
地址：北京市阜成门北大街17号　邮编：100037
电话：010-88390317
http://www.ecph.com.cn
新华书店经销
恒美印务(广州)有限公司印刷
开本：889×1194　1/16　印张：6　字数：135千字
2019年9月第1版　2019年9月第1次印刷
ISBN 978-7-5202-0528-3
定价：68.00元